Le Cavalier du Louvre

Philippe Sollers

Le Cavalier du Louvre

Vivant Denon

(1747-1825)

PLON
76, rue Bonaparte
Paris

« *L'édition originale de cet ouvrage, a été tirée à 40 exemplaires numérotés de 1 à 40 sur velin pur chiffon de chez Arjo Wiggins.* »

© Librairie Plon, 1995.
ISBN : 2-259-00290-0

« On doit des égards aux vivants,
on ne doit aux morts que la vérité. »

VOLTAIRE,
Première lettre sur Œdipe.

« Chaque mot était en situation. »

Vivant DENON,
Point de lendemain.

« Il y a un moment dans les batailles,
où, dans une lutte égale, les deux parties
sentent l'inertie de leurs moyens et l'inuti-
lité de leurs efforts ; où l'épuisement des
forces, et le sentiment de la conservation,
inspirent aux combattants un même pen-
chant vers la retraite. Ce moment de relâ-
chement, saisi par l'homme supérieur qui
sait profiter de cette disposition morale
pour employer les moyens qu'il a su réser-
ver, détermine toujours la victoire en sa
faveur. »

Vivant DENON,
Voyage dans la Basse et la Haute Égypte.

I.

L'énigme

Vous prononcez ce nom : Vivant Denon. La plupart de vos interlocuteurs n'en ont jamais entendu parler. Denon ? Vivant Denon ? Vivant est un prénom ? Et Denon un nom ? Quelques-uns, pourtant, prennent un air entendu. Il s'agit bien de l'auteur de *Point de lendemain*, ce bref récit libertin du XVIIIe siècle, un joyau de la prose française ? Oui, c'est lui. Mais qui était-il vraiment, d'où venait-il, que lui est-il arrivé par la suite ? Ah, voilà. D'autres sont quand même sérieux et connaissent l'histoire officielle. Ils savent que le baron Dominique Vivant Denon a été, sous le premier Empire, le fondateur du musée du Louvre actuel, et que l'entrée principale, jusqu'à la pyramide actuelle, se faisait justement par le Pavillon Denon (l'inscription frontale est toujours lisible). Bon, mais quel rapport existe-t-il entre des figures aussi contradictoires d'un même homme ? Difficile à dire. Ah oui, c'est vrai, il y a l'Italie... Le Voyage en Sicile... Et l'Égypte, puisqu'il accompagnait Bonaparte lors de l'expédition de 1798... C'est bien Denon qui, à son retour, à travers le succès international de son récit et de ses gravures, a inventé, en somme, l'égyptomanie ?

Au fait, regardons les dates : il a donc traversé tous les régimes ? Louis XV, Louis XVI, la Révolution, la Terreur,

11

le Directoire, le Consulat, l'Empire, la Restauration ? Sans y perdre la tête ? Et vous dites qu'il a fini sa vie tranquillement à Paris, quai Voltaire, comme un collectionneur célèbre visité de partout ? Qu'il a son tombeau très officiel, avec statue, au Père-Lachaise ? Qu'il a connu tout le monde, les rois, les reines, Frédéric de Prusse, le cardinal de Bernis, Catherine de Russie, Pie VII, des généraux, des ambassadeurs, Robespierre, Joséphine, Napoléon, et aussi Diderot, Voltaire, Stendhal ? Il a donc vécu cent cinquante ans ? Non, soixante-dix-huit. Une vie tantôt calme et tantôt frénétique ; méditative, ou bien à cheval, au milieu des canons.

Bref, quoi ? C'est un auteur licencieux ? Un anarchiste masqué ? Un archéologue amateur ? Un homme de goût opportuniste devenu révolutionnaire ? Un technicien avisé du pillage de l'Europe et, par conséquent, l'inventeur de l'idée moderne de musée ? Un diplomate à éclipses ? Un agent très secret ? Un courtisan ? Un spécialiste des missions hautement symboliques ? Un administrateur obstiné et froid ? Un patriote ? Un aimable épicurien flottant, sans jamais sombrer, sur les vagues d'une histoire déchaînée ? Un protégé des femmes ? Un conseiller des ombres ? Un des rares survivants des Lumières ? Un homme du passé ayant victorieusement franchi l'épreuve du futur ? Un excellent dessinateur et graveur ? Un écrivain de génie préférant le silence ? Un visionnaire ? Un jouisseur ? Un intrigant ? Un sage ?

Tout cela, tout cela, sans doute. Impossible de parler de Denon, sans que l'Histoire se réveille, fasse vibrer son ampleur, sa complexité. Rien, chez lui, qui soit stable et simple : pas d'étiquette sûre, pas de célébrité cernable, commémorative. Passé, présent, futur : avec lui, ces repères se brouillent, le vague catéchisme scolaire et journalistique se trouve en défaut. Quand j'ai commencé à m'intéresser vraiment à lui, je ne m'attendais pas à un tel labyrinthe sous tant de clarté apparente. Denon est un tissu de romans. Roman, d'abord, que son nom plus qu'étrange. Roman, sa venue à Paris, son entrée foudroyante et énigmatique, à vingt-deux ans, à la cour de Louis XV, en intimité avec le roi. Roman (et déjà policier), sa mission à Saint-Pétersbourg, son séjour chez Voltaire, la publication anonyme (et controversée pendant un siècle) de *Point de lendemain*. Roman encore, sa vie d'ambassade à Naples chez Marie-Caroline, la sœur de Marie-Antoinette, ses curiosités archéologiques, son récit de voyage en Sicile (là encore, une affaire d'anonymat à briser), et plus encore ses cinq ans, apparemment sans rien faire (ah oui ?) à Venise. Roman, son retour précipité en France au plus dangereux moment, en pleine Terreur, sa protection par David, son entrevue avec Robespierre, cette bizarre impunité, donc, qui le suit partout. Roman fabuleux, celui de l'expédition d'Égypte où, à plus de cinquante ans, il se soumet aux pires épreuves physiques. Roman d'aventures, militaire et financier, sa vie d' « huissier-priseur », de l'Europe quand, sur les traces de l'Empereur, il rafle, dans les pays conquis, les tableaux, les sculptures, les objets, pour créer ce Louvre où se presseront, de plus en plus, les visiteurs de la vision d'art. Roman enfin, ses dernières années allusives, au bord de la Seine.

Oui, un formidable personnage de roman, en train d'écrire, directement dans la réalité, son roman. Comment l'intituler ? *Histoire d'un Faune*, puisque « le Faune » est le surnom que lui ont donné les femmes de sa jeunesse? *L'Homme au gilet rose* (son nom de code pour les actrices)? *L'aventurier de l'art*? *Le baron masqué*? *Le libertin au pouvoir*? Ou encore, en pensant à son contemporain Hegel: *L'esprit absolu concret*? N'oublions pas ce surnom de *faune*, qui désigne une divinité champêtre latine, du mot *favere*, bon, favorable. Prélude à l'après-midi d'un faune: quelqu'un pensera à cela, et il s'appelle Mallarmé. Quelqu'un d'autre inventera la musique qui peut se glisser dans ces jardins de la sensation, et c'est Debussy. Le musicien du temps et du lieu de Vivant Denon n'est pas par hasard Jean-Philippe Rameau. Denon est de Chalon, Rameau de Dijon. Dans la jeunesse de Vivant, on écoute *Castor et Pollux, Dardanus, Zoroastre, Les Fêtes d'Hébé, les Indes galantes*. Bientôt vont venir Haydn et Mozart. Je ne dis pas cela tout à fait au hasard. Denon est enterré, au Père-Lachaise, à côté de la famille des musiciens Duport, et l'une de ses eaux-fortes représente Jean-Pierre Duport, le violoncelliste, «l'admirable et peut-être l'inimitable Mr Duport» comme l'écrivait *Le Mercure de France*. Denon l'a sans doute rencontré d'abord à Berlin, chez le grand Frédéric (lequel, en peinture, va rester fidèle à Watteau). Mozart a composé des variations célèbres sur un menuet de Duport.

Alors? Un faune qui finirait chargé de titres et d'honneurs? Et qui s'en moquerait? Pourquoi pas? Mais est-ce possible? Ne sommes-nous pas condamnés au malheur, au désespoir, à la mélancolie, au vide, à l'absence, à l'errance, à la mort, au doute, à la *punition* que nous méritons? Ne nous répète-t-on pas cela depuis presque deux siècles? Le règne du jeu et de la raison n'a-t-il pas entraîné les pires catastrophes totalitaires? Et si c'était le contraire? Si l'humanité était périodiquement saisie de haine convulsive et meurtrière contre le jeu, l'art, la raison? Lourde hypothèse, n'est-ce pas, que celle d'un ressentiment inusable formant le fond organique de notre problématique espèce. Dans le cas de Vivant, il faut pourtant supposer une passion unique dirigeant toute une vie, et trouvant – fait rarissime – une issue explosive dans le temps historique de cette vie. L'art? Oui, employons ce mot, avant d'essayer de lui donner un sens moins creux que celui dont nous l'avons recouvert. Un sens effervescent, mobile, aventureux. L'empire de l'art, comme on dit l'empire des sens. Notre homme, nous allons le voir, n'est pas un Idéologue. Voilà sans doute, pourquoi il s'est moins trompé que beaucoup.

Tout paraît donc clair, chez lui, et tout est mystérieux. On commence à croire à une existence « naturelle », emportée par les événements et s'y pliant, et on découvre peu à peu une cohérence filigranée, un calcul de loin, une stratégie de destin. En cours de route, le mystère s'épaissit. Des pans entiers de son existence se refusent. Comme il n'a pas écrit de *Mémoires* et que l'époque en a produit beaucoup (notamment l'extraordinaire monument des *Mémoires d'outre-tombe* de Chateaubriand), nous ne savons rien de ses jugements déguisés ou non. Mais justement : si Denon n'écrit pas ses *Mémoires*, ce n'est pas innocent. La « mémoire » est pour lui une autre substance qu'un rôle théâtral dans un temps connu. Une mémoire pour les autres, non, pour soi, oui, mais uniquement communicable par des signaux indirects. Vivant ne « juge » pas, il est là, il s'occupe d'autre chose que personne ne voit ou ne semble voir. Il éprouve, il repère, il choisit, il ramasse. Il sent, il dessine, il grave, il se tait. C'est un sceptique des affaires humaines, il connaît les coulisses, il en tire un sens de la relativité définitif. La politique ne l'intéresse pas, les vanités ne l'amusent pas vraiment, aucune inflation du moi, il se traite comme un acteur d'une pièce beaucoup plus étendue que celle de sa propre vie et du temps où il se trouve. Pas de lendemain, mais beaucoup de présent, énormément de passé et, du coup, un calcul instinctif sur l'avenir. Sa correspondance privée nous manque, sauf quelques lettres, il est vrai capitales, avec sa comtesse de Venise, Isabelle Albrizzi. Les dépêches diplomatiques, par définition, sont à lire entre les lignes et nous ne savons rien des messages officieux qui ont pu arriver ici ou là. Une telle absence de documents privés indique d'ailleurs une volonté d'effacement très lucide. On peut se demander si elle n'est pas en rapport avec l'importance sociale de ses correspondants ou correspondantes à la cour royale, puis impériale. Des femmes ? Oui, bien sûr, on les devine. Mais lesquelles ? Et combien ? Jusqu'où ?

Portalis et Beraldi, par exemple, en 1880, dans *Les Graveurs du dix-huitième siècle*, écrivent ceci : « Denon est par excellence le graveur des jolies dames qu'il rencontre dans ses voyages diplomatiques, et dont il s'empresse, en sa qualité de favori du beau sexe, de faire le portrait... Son esprit étincelant appelle sa pointe à la rescousse, et, non content de leur tourner les compliments les plus galants, il grave sur le cuivre avec un brio tout particulier leurs charmantes images qui démontrent victorieusement que le jeune artiste n'avait pas trop mauvais goût. Vous faites partie de cette galerie, princesse d'Aschoff, et vous diaphane anglaise Miss Mery, brunes italiennes Catherine Cillo, sœurs Collellini, et vous aussi, belle Lady Hamilton, vestale à la tête expressive et sensuelle que votre mari le diplomate archéologue avait tirée du *néant*, pour faire de vous une ambassadrice à la cour napolitaine ! Et vous encore, nombreuses victimes du sémillant français, dont les traits, à défaut des noms, sont venus jusqu'à nous... Madame Mosion n'a pas été la plus maltraitée ni Denon le moins heureux des amants, à en juger par les beaux portraits qu'il nous a laissés de sa séduisante personne ; on assure même que quelques portefeuilles discrets recèlent, dans les coiffures les plus ébouriffées et dans les poses les plus savantes, les formes de cette belle personne, gravée à l'eau-forte : *De Non vidit et sculpsit.* »

Discrétion, silence. Rien n'est plus éloigné de Denon que l'exhibitionnisme littéraire ou romantique en matière amoureuse. Là encore, XVIIIe siècle strict, aucun rapport avec Casanova (miroitement numérique), Chateaubriand (passions flatteuses et distributives), ou Stendhal (cristallisation). Denon ne *pose* pas, c'est son côté Laclos (mais sans la conclusion conjugale et morale). Philosophe, cela va sans dire, mais sans système, sans manie didactique, et, à l'occasion, plutôt ironique et distant par rapport aux « philosophes ». Pas de déclarations ni de professions de foi : une immense et inlassable curiosité, le désir comme boussole, une façon exceptionnelle de se rendre présent aux signes sortant de la terre comme de l'histoire. C'est son moment. Une substance nouvelle permet soudain de se comprendre comme jamais, soi-même et le Temps. Vivant est un cosmonaute de l'art et du temps. Vivant, deux fois plutôt qu'une. Sa confidence la plus directe, *Point de lendemain*, en dit plus long qu'on ne croit. Ce titre, en réalité, est un blason, un emblème, une devise. Il faut voir flotter cette phrase, comme une légende, derrière toute l'existence de notre héros. Portalis et Beraldi, de nouveau, à propos de Denon : « Terminons cette étude par un fait qui le peindra tout entier. Quand le procédé lithographique fut en honneur, Denon l'accueillit avec enthousiasme, et s'en servit pour se représenter, sur un drapeau dont la hampe est terminée par la faux du Temps, à seize âges différents, et tiré d'un côté par l'amour et de l'autre par la folie. »

La lithographie en question date de 1818. Denon a soixante et onze ans. Les auteurs du XIXe siècle se trompent. Dans l'*Allégorie du Temps*, le Temps, vieillard aux ailes de chauve-souris, est non pas « tiré » mais *retenu* par l'amour et la folie. L'amour, à droite, tire avec une corde sur le bras gauche du Temps. La folie, à gauche, lui met dans la main droite, comme pour l'appâter ou détourner son attention, un sablier. Pendant ce temps, un rideau se déploie sous la faux : on y voit, en effet, des visages de Denon à différents âges, de l'enfance au moment présent. En bas, à gauche, dans un paysage d'hiver, sur fond d'église et de manoir, un voyageur qui semble effrayé, en pleine campagne, est consolé par un petit amour ailé qui se presse contre lui. A moins qu'au contraire le voyageur protège l'amour en question ? C'est possible.

Interrogé comme suspect en 1790 à Venise, Vivant répond aux Inquisiteurs d'État qui lui demandent s'il est marié : « Non, je ne me suis jamais marié, et je vis content de ma liberté. » Une telle réponse, on s'en doute, n'arrangera pas son dossier. Il en irait de même aujourd'hui et sur n'importe quel point de la planète. « Je vis content de ma liberté. » Et puis quoi encore ? Oui, un roman. Un roman suspect.

Je suis seul, à l'écart, sur une île de l'Atlantique. C'est l'été. La nuit est tombée, il fait chaud, pas de vent, l'espace est noir et velouté, le ciel plein d'étoiles. Les mouettes ont cessé de crier. En ce moment même, une comète géante qui s'étale sur un million de kilomètres, est en train de percuter Jupiter à la vitesse de deux cent mille kilomètres à l'heure. L'explosion cosmique prévue sera d'une violence nucléaire équivalente à plusieurs millions de fois la bombe atomique d'Hiroshima. Sur mon écran de télévision, tout à l'heure, j'ai vu des foules de réfugiés rwandais mourir de faim et du choléra. Après quelques instants de publicité confiés à des jeunes femmes minces, sportives, idylliques, je vois qu'Israël et la Jordanie officialisent leur état de non-guerre sous l'œil bienveillant du chaloupé et sucré président des États-Unis. Un peu partout, là où ils sont présents, les hurlements des intégristes islamiques se font entendre. Les crimes commis par leurs tueurs ne se comptent plus. La guerre de Bosnie s'aggrave. Cependant, la radio, si je veux, diffuse aussi une messe de Joseph Haydn.

Heure après heure, le silence se creuse. Au loin, les automobilistes roulent vers leurs vacances. Que se passe-t-il à Paris? Beaucoup de choses et rien. Et à New York, Londres, Berlin, Vienne, Saint-Pétersbourg? Beaucoup de choses et rien. La ville de Saint-Pétersbourg, pourtant, n'a retrouvé le nom qu'elle avait du temps de Vivant Denon et de Catherine de Russie, que depuis quelques années. Une ville qui change de nom comme ça? Quoi? Leningrad autrefois? Non, Saint-Pétersbourg.

Que se passe-t-il à Naples? Venise? Beaucoup de choses et rien. On peut nous raconter ce qu'on veut sur les assassinats et les affaires qui surgissent, plongent, reviennent selon de ténébreuses oscillations (celle du Banco Ambrosiano, par exemple, qui a suivi, comme par hasard, un attentat manqué contre un pape) : il ne se passe rien et de plus en plus de choses. Cette violente sensation de néant agité est générale : quelques écrivains la captent, tentent de la déchiffrer. Fin de l'Histoire ? Non : nouvelle possibilité d'interroger l'Histoire.

Qu'en est-il donc de cette vieille Terre, et de nous là-dessus ? Imagine-t-on, de nos jours, un dictateur mondial rassemblant des peuples pour leur dire : « Spectateurs, vous respirez sur une planète qui a cinq milliards d'années ? » Impossible, n'est-ce pas ? Pourtant le mot célèbre de Bonaparte en Égypte : « Soldats, du haut de ces Pyramides quarante siècles vous contemplent », lui, est authentique. Vivant Denon y était.

Pour l'instant, au milieu du XVIIIe siècle, Vivant (né en janvier 1747) est un jeune bourgeois heureux. « Qui n'a pas connu l'Ancien Régime ne sait pas ce qu'a pu être la douceur de vivre », dira son contemporain Talleyrand, évêque à trente-quatre ans. Et la douceur de vivre, pour les Denon qui signent encore De Non, c'est la Bourgogne, Givry, Chalon-sur-Saône. Campagne, vignes, temps lent n'allant nulle part : on ne reverra pas de sitôt une pareille fête. Il va rester dans le vin, Vivant, jusqu'à se faire livrer, beaucoup plus tard, des barriques de son Chambertin à Venise, afin de le vendre comme un négociant amateur. Il tient à sa terre. En 1793, quand il apprend qu'il figure sur la liste des émigrés et que ses propriétés risquent d'être saisies, il rentrera en toute hâte, il ira se jeter dans la gueule du loup. Coup de poker ou calcul ? Les deux.

Naître dans le vin français est toute une histoire ; une expérience de fond qui fortifie, intériorise, dégrise. La raison, et une certaine vérité d'en deçà des choses, rôdent par là. Peu de délire, l'œil ouvert, l'oreille rapide, le pied vite levé, la main exacte. Enfant, on n'a même pas à lire Rabelais, il se vit et se parle autour de vous, on l'entend, on le constate. « De vin divin on devient. » Mais il y a aussi, pour le futur dessinateur des *Priapées* : « Messer Priapus, grand tentateur de femmes par les paradis en grec, ce sont jardins en françois. » Mot de passe : « Trinch ! » Devise : « Soyez vous-mêmes interprètes de votre entreprise. » La Dive Bouteille a rendu son oracle compréhensible dans toutes les langues. « Par temps ont été et par temps seront toutes choses latentes inventées. » On sait aussi que « sous terre sont les grands trésors et choses admirables ». Le temple de l'oracle est une accumulation d'œuvres du plus grand art. Dehors, donc, les moines sont inoffensifs, et aussi la Sorbonne. Le moment est venu où on va pouvoir dire ce qu'on veut, ou à peu près. S'il le faut, on prendra des pseudonymes, des masques. En réalité, la censure est sur le point de devenir ridicule, Voltaire gagne ses procès, l'Encyclopédie et les Philosophes changent l'horizon humain. L'heure n'est pas encore venue où l'on se demandera si tout cela n'aura été qu'un rêve. La jeunesse de Denon, sous la houlette de son précepteur humaniste l'abbé Buisson ? Un paradis provincial dans un pays en train d'inventer le destin mondial.

Son père, qui est reconnu comme « écuyer », s'appelle Vivant, comme lui. Pas tout à fait : lui s'appelle Dominique Vivant Denon. Mais enfin, Vivant, père et fils. Nous sommes à l'époque des bons pères. Cela est très étonnant pour nous, mais c'est ainsi. L'anti-Œdipe bordelais, Montaigne, l'a dit : « Le bon père que Dieu me donna. » La manie de l'éducation elle-même est française, depuis les géants de Rabelais jusqu'à l'*Émile* de Rousseau, en passant par *l'École des femmes*. Diderot et sa fille Angélique sont à mettre dans le tableau : « Je suis fou à lier de ma fille. Elle dit que sa maman prie Dieu et que son papa fait le bien. Que ma façon de penser ressemble à mes brodequins, qu'on ne met pas pour le monde, mais pour avoir les pieds chauds... Que quand elle regarde ce qui se passe autour d'elle, elle n'ose pas rire des Égyptiens. Que si, mère d'une nombreuse famille, il y avait un enfant bien méchant, bien méchant, elle ne se résoudrait jamais à le prendre par les pieds et à lui mettre la tête dans un poêle. Et tout cela en une heure et demie de causerie, en attendant le dîner... Si je perdais cet enfant, je crois que je périrais de douleur. Je l'aime plus que je ne saurais dire. » (Lettre du 22 novembre 1768 à Sophie Volland.)

Un autre fils, contemporain de Denon, aimé de son père et qui l'aime, n'est autre que le marquis de Sade. Mais oui. La vie du marquis va être parallèle, dans le négatif dévastateur et génial, à celle du futur baron. Lequel écrit un jour à un général d'Empire inconnu (pas de date, pas d'adresse) :

« Le bon Vivant, dont je porte le nom, est tout uniment un saint attaché à ma famille, dans laquelle il n'y a eu que deux militaires : mon grand-oncle qui, heureusement pour moi, a été plus courtisan qu'autre chose, car si je mange un peu c'est qu'il a su bien boire, et qu'il a bien bu avec le Grand Dauphin, qui a fait sa fortune ; par singularité il se nomme Vivant. L'autre Vivant est mon neveu, le général Brunet, qui a perdu un bras à la bataille d'Essling. »

(La lettre est, en tout cas, d'après 1809, puisque Essling,

victoire des Français sur les Autrichiens, se déroule cette
année-là.)

Il va y avoir, on s'en doute, énormément de morts vio-
lentes dans notre histoire. Mieux valait donc, et de part en
part, s'appeler Vivant.

Beaucoup de morts, et pourtant le bonheur, décrété par
la France, était bien une idée neuve en Europe.

Ibrahim Amin Ghali, le principal biographe de Vivant
Denon, a intitulé son livre : *Vivant Denon ou la conquête du
bonheur*. Nul n'a mieux fait sentir la substance de cette
« idée neuve » que l'écrivain qui a dit : « Revoir le printemps était pour moi ressusciter en paradis. » Écoutons-le,
c'est Rousseau : « Je me levais avec le soleil et j'étais heureux ; je me promenais et j'étais heureux, je voyais maman
et j'étais heureux, je la quittais et j'étais heureux, je par-
courais les bois, les coteaux, j'errais dans les vallons, je
lisais, j'étais oisif, je travaillais au jardin, je cueillais les
fruits, j'aidais au ménage, et le bonheur me suivait partout ; il n'était dans aucune chose assignable, il était tout
en moi-même, il ne pouvait me quitter un seul instant. »

Rousseau a écrit à propos des « Philosophes » que
« leur philosophie leur était, en quelque sorte, étrangère ».
Nous n'aurons jamais ce sentiment avec Denon.

Il y a eu autrefois, à Chalon, une « rue des femmes
fraîches ». Elle s'appelle aujourd'hui rue Thalie. Ce changement de nom a dû succéder à la Révolution française.
Peu importe : ce masque antique posé sur l'enseigne d'un
lieu de prostituées produit son effet.

La maison des De Non est toujours là : c'est une belle et
grande bâtisse, hautes fenêtres, escalier couvert de tapisse-

ries, grand grenier, mais surtout *salon*. Le père de Vivant (dont la mère s'appelait Reine) a dépensé pour cette pièce centrale 25 000 livres de l'époque. Ce salon de province est une déclaration. La décoration est en stuc imitant le marbre, avec sept attiques représentant, sous des couleurs encore très vives, les Arts et les Sciences, la Géographie, l'Astronomie, la Peinture, la Musique. Des nudités sanctifiées par le Savoir, voilà un signe sûr d'ascension sociale. Mais attention : que voit-on peint au sommet de la grande glace qui se trouve au-dessus de la cheminée ?

Incroyable mais vrai : un jeune garçon de douze ou treize ans, enturbanné, burin et marteau en main, en train de sculpter. Quelle est l'œuvre à laquelle il travaille ? Un buste antique ? Non, celui de Louis XV lui-même, le plus vivant des rois. Ce jeune garçon n'est autre que le fils de la maison, Dominique Vivant, notre personnage. Boichot, qui a réalisé ces peintures, est un artiste reconnu du temps.

Vivant Denon père, écuyer, fait représenter son fils en sculpteur du Souverain régnant. Petit Vivant doit devenir grand. Dévotion ? Insolence ? En tout cas, la révolution bourgeoise (y en a-t-il eu d'autres ?) est en marche.

Notre Vivant, qui sera Gentilhomme Ordinaire de ce Roi-là (rappelez-vous ces initiales G.O.D.R.), puis baron d'Empire, n'aura aucune difficulté à passer de De Non à Denon.

Et d'ailleurs, deux noms valent mieux qu'un, c'est certain. Quand Buonaparte deviendra Bonaparte, et ensuite Napoléon Ier, on peut imaginer le sourire de son directeur de musée. Nous entrons dans l'ère des métamorphoses.

A y regarder de près, ce tableau qui appelle, donc, un petit garçon à de hautes fonctions (sculpter le roi, c'est toucher le sacré lui-même), rend un son étrange. Le jeune prodige met-il la dernière main au buste de Sa Majesté, ou bien n'est-il pas plutôt en train de le faire sauter? L'effet est saisissant. Il faut imaginer la famille De Non dans son salon, au milieu des notables. Le père ou la mère appellent : « Vivant! Vivant! Où es-tu? Rentre! Descends! Viens saluer, voyons! Vous connaissez Vivant, notre fils? Eh bien, c'est lui, là-haut, en train de sculpter le Bien-Aimé, là, dans la peinture. Joli n'est-ce pas? »

La mère s'appelle Nicole. Nicole Boisserand. On ne sait rien d'elle. Elle a eu aussi une fille, d'où le neveu de notre Vivant célibataire, celui qu'il considérera comme un fils, le général Brunet, le manchot.

Ce qui est sûr, c'est que ce jeune garçon va être très tôt doué pour le dessin. Il profite des leçons de son précepteur humaniste, l'abbé Buisson (donc : latin-grec, rhétorique), mais on peut penser qu'il est déjà tourné vers l'observation, la méditation du trait et des ombres, des rapprochements, des dimensions et des proportions. Le dessin est une école de mesure de soi, de silence actif. Vivant ne sera jamais ce qu'on appelle un « grand artiste », ce qui peut expliquer sa passion pour les arts et les maîtres de toutes les époques, mais il sera beaucoup plus qu'un amateur.

Mais lui, physiquement, de quoi a-t-il l'air?
Nous avons ses autoportraits. Ils sont très beaux.
Un des premiers, à l'eau-forte, chapeau à plumes, de face, foulard de soie, dans la position du charme. Visage rond, un peu poupin, regard de haut, expression ravie, un peu triste. L'autre, un pastel ovale, aujourd'hui au musée Denon, à Chalon, nous sommes vers 1780, il a trente ans ou un peu plus, c'est le moment de *Point de lendemain*. Il est de trois quarts gauche, souriant, cheveux mi-longs et poudrés, coiffé d'un grand chapeau noir. Il porte un habit

jaune-beige, il a fait bouffer un peu son jabot blanc, il a le visage un instant tourné vers vous, il vous regarde. Ses yeux sont clairs, verts, un peu d'or. Il sourit. Il a un nez plutôt busqué, une fossette dans la joue gauche, un air très enjoué, décidé, cavalier. Le chapeau, surtout, est étonnant.

Emplissant toute la partie supérieure de la toile, on pourrait croire que c'est celui d'un grave ecclésiastique, n'était le mouvement d'ensemble qui en fait aussitôt le couvre-chef d'un aventurier qu'on imagine à cheval (la position du bras gauche semble dirigée vers des brides). En route! Fouette! Où va-t-on? Au théâtre? Au bal? A la guerre? On verra bien. Où la chance nous porte. Demain est un autre jour. Salut, je passais par là.

Ce chapeau est plus qu'un chapeau. C'est une sorte d'hélice propulsive couchée, noire comme la nuit ou tous les corbillards du monde, un huit posé sur la tête et enfoncé exprès pour laisser passer le regard. Irrésistible jeune homme. Au dos du portrait, une inscription : *Portrait de Vivant Denon, de Vivant.*

« J'aimais éperdument la comtesse de... ; j'avais vingt ans, et j'étais ingénu ; elle me trompa, je me fâchai, elle me quitta. J'étais ingénu, je la regrettai ; j'avais vingt ans, elle me pardonna : et comme j'avais vingt ans, que j'étais ingénu, toujours trompé, mais plus quitté, je me croyais l'amant le mieux aimé, partant le plus heureux des hommes. »

Ce chapeau a dû lui plaire : il se représente une autre fois avec lui, sous un parasol, en train de dessiner une vue du château de Germolles, près de Givry où il est né. Ce château est une demeure princière construite en 1385 par le duc de Bourgogne, Philippe le Hardi et sa femme,

Marguerite de Flandre. Le ciel est vaste et strié, à la Ruys-daël. Moyen Age et bouquet d'arbres nerveux, groupe de paysans idylliques, orage et calme, voilà une parenthèse de temps, une des rares œuvres « romantiques » de Vivant. Il est lui-même dans le tableau, il aime se situer dans les scènes, cela reviendra dans ses « vues », notamment lors de l'expédition d'Égypte. Il s'agit d'une information sur la psychologie, finalement très étrange, du muséographe et du collectionneur qu'il sera.

Musée, *mouseion* en grec, signifie Temple des Muses. Au départ, c'est un sanctuaire qui leur est consacré (par exemple, à Alexandrie, l'édifice élevé par Ptolémée qui abritait la bibliothèque). Vivant a dû se sentir très tôt appelé à être gardien de ce Temple. Temple du Goût, Temple de l'Amour, l'idée est courante au XVIIIᵉ siècle. Mais dans le cas de Vivant, fondateur du Louvre, la chose va beaucoup plus loin. Les empires passent, les musées restent, et au cœur des musées il peut y avoir des lieux secrets, purement privés, des chambres de recueillement spéciales. C'est, dans le cas de Denon, l'extraordinaire histoire du Reliquaire.

Un *reliquaire*? Mais oui. Dans la vente de 1826 qui disperse, après sa mort, son impressionnante collection personnelle, on trouve un reliquaire gothique, en cuivre doré, de la fin du XVᵉ siècle ou commencement du XVIᵉ. Pas de doute, il s'agit bien d'une sorte de culte personnel de notre Vivant en plein recueillement fétichiste. Il est devenu, entre-temps, outre G.O.D.R., membre de l'Ancienne Académie de peinture de l'Institut de France, membre fondateur de l'Institut d'Égypte, Directeur général des Musées Impériaux et Royaux, de la Monnaie, des Médailles, de

Sèvres, des Gobelins, Officier de la Légion d'Honneur, Chevalier des ordres de Sainte-Anne de Russie et de la Couronne de Bavière. N'en jetez plus! Et pourtant, il y a encore autre chose.

Voici la description de cet objet hypersurréaliste, et dites-moi, donc, si je n'ai pas raison de parler de *roman* :

« Reliquaire de forme hexagonale et de travail gothique, flanqué à ses angles de six tourillons attachés par des arcs-boutants à un couronnement composé d'un petit édifice surmonté de la croix : les deux faces principales de ce reliquaire sont divisées chacune en six compartiments, et contiennent les objets suivants :

– Fragments d'os du Cid et de Chimène trouvés dans leur sépulture, à Burgos.

– Fragments d'os d'Héloïse et d'Abélard, extraits de leurs tombeaux, au Paraclet.

– Cheveux d'Agnès Sorel, inhumée à Loches, et d'Inès de Castro, à Alcobaça.

– Partie de la moustache de Henri IV, roi de France, qui avait été trouvée tout entière lors de l'exhumation des corps des rois à Saint-Denis, en 1793.

– Fragment du linceul de Turenne.

– Fragments d'os de Molière et de La Fontaine.

– Cheveux du général Desaix. »

Deux des faces latérales du même objet sont remplies :

– L'une par la signature autographe de Napoléon.

– L'autre par un morceau ensanglanté de la chemise qu'il portait au moment de sa mort, une mèche de ses cheveux et une feuille du saule sous lequel il repose dans l'île de Sainte-Hélène.

« A cette énumération, déjà longue, il conviendrait d'ajouter encore la moitié d'une dent de Voltaire, classée sous le numéro 1379 du même catalogue, parmi les " objets omis " et porté comme devant faire partie des souvenirs historiques décrits dans l'article qui précède.

« Cette dent de Voltaire fut vendue avec ce lot, en 1826. »

On trouve ce texte fabuleux dans *La Relique de Molière du cabinet du baron Vivant Denon*, publié en 1880, à Paris, par Ulric Richard-Desaix, descendant du général du même nom.

Plaisanterie ? Nullement. Humour ? Ce n'est pas exclu. Folie ? Pourquoi pas. Manie ? Oui, et alors ? Message indirect ? Bien sûr.

Nous sommes en présence d'un *chiffre*. Vivant, notamment depuis Naples, a beaucoup écrit de façon chiffrée.

Il s'agit, à proprement parler, d'une équation de noms, de lieux et de temps. On peut rêver sur la destination inconnue de ces reliques d'une nouvelle religion privée, dont l'histoire se dérobe à celle des historiens. Que sont d'ailleurs devenus ces *os* de Molière et de La Fontaine ? Cette *dent* de Voltaire ? Dans quel temple pouvons-nous les imaginer ?

J'ouvre le Dictionnaire de la Franc-Maçonnerie, de Daniel Ligou (Presses Universitaires de France, 1987), et je trouve :

« DENON (Dominique, Vivant, baron), 1747-1825. Artiste français, né à Givry (Saône-et-Loire). Il participa à l'expédition d'Égypte et en a laissé une très abondante iconographie. Directeur des musées de France sous l'Empire. Membre de l'ordre sacré des Sophisiens, et de la loge *La Parfaite Réunion*, Orient de Paris. »

De là, je vais à *Ordre sacré des Sophisiens* et je lis : « Créé en 1801 dans la loge parisienne des *Frères Artistes* par d'anciens membres de l'expédition d'Égypte. Il comprend trois degrés :

1) les aspirants
2) les initiés
3) les membres des Grands Mystères. »

Les règlements sont datés de « La Grande Pyramide, l'an 15509 de l'ère des Sophisiens et de l'ère républicaine, le 1ᵉʳ vendémiaire an IX. » Ils précisent que « nul dans les pyramides de la République française n'est aspirant s'il ne connaît l'acacia ». (Acacia : mort et résurrection.)

Ce Denon, tout de même : d'où vient-il, où va-t-il, qui est-il ?

« Point de lendemain », peut-être, mais beaucoup de temps derrière lui, pour lui, devant lui.

Parmi toutes les définitions de la Franc-Maçonnerie, celle-ci, je pense, convient à l'aventure : « Considérer les événements les plus intéressants de l'univers, en rechercher les plus secrètes raisons, et en prévoir les plus lointaines conséquences. »

Faut-il s'étonner, dès lors, que l'entrée du Louvre soit passée de la porte du pavillon Denon à une pyramide transparente édifiée par un architecte chinois de nationalité américaine ? A peine.

Nous sommes en 1765, Vivant a dix-huit ans. Son père l'autorise à aller à Lyon pour étudier le dessin, mais le but est évidemment le Paris des dernières années du règne de Louis XV, sans doute les plus étonnantes qu'une humanité libre ait vécues.

Voilà un jeune provincial qui ne manque ni d'argent ni de lettres de recommandations (le vin passe partout). Il va tomber en plein art de vivre : architecture, peinture, objets, meubles, conversations, apparences et coulisses, goût et rapidité. L'Inde et la Chine apparaissent dans les décorations et les porcelaines. Les corps ne seront jamais plus légers (les siècles suivants, par vengeance, se chargeront de les alourdir).

Sur cet enchantement, Watteau, Fragonard et Mozart ont tout dit. Watteau, Vivant ne l'oubliera jamais, puisqu'il finira sa vie, bien plus tard, quai Voltaire, avec en face de lui, le *Gilles* sauvé du déluge. Cela aussi est un des secrets de Denon.

Ici, donc, tous les personnages qu'on veut : hommes et surtout femmes. Pour les hommes, deux sont importants pour un débutant : Boucher, Caylus.

Boucher est le peintre de la Pompadour (laquelle ignorera Fragonard, que Denon retrouvera à Naples). C'est un monument officiel. Caylus, lui, petit-fils d'Agrippa d'Aubigné, vient d'Italie et de Constantinople : il est le type même du collectionneur raffiné.

Vivant recherche l'appui de Boucher, mais restera dans l'atelier de Noël Hallé. Peu importe : il regarde, il dessine, il analyse, il voit.

Des amis ? Oui, sans doute, même s'il vaut mieux parler de complicités, à l'époque. En tout cas, voici Benjamin de Laborde, musicien facile, guillotiné en 1794, et surtout Dorat, polygraphe actif, qui tient un salon stratégique, celui de Fanny de Beauharnais, et une revue, *Le Journal des dames*. C'est là que paraîtra, comme si le récit était de Dorat, *Point de lendemain*.

Que faire ? Dessiner, graver, écrire ? Ou bien autre chose ? Mais quoi ?

C'est ici que nous trouvons, pour la première fois, un trait du destin extrêmement singulier de notre cavalier d'aventures. Souvent il attend, on dirait qu'il hésite, et puis, soudain, la charge, la rencontre qu'il faut, allons. Sa vie sera faite de cette contradiction étrange : calme presque plat et, tout à coup, accélération, chevauchée, tir au but.

Comment, par exemple, est-il entré en contact avec Louis XV en personne ? On ne le sait pas vraiment. Comme chaque fois qu'une information manque, une légende se forme. Vivant (sur quel conseil ?) aurait imaginé de se mettre chaque jour, pour l'observer avec insistance, sur le passage du roi, dans la galerie de Versailles. Au bout d'un certain temps, donc, le roi s'arrête et demande à cet inconnu électrique ce qu'il veut. Voici la version officielle de la scène telle que la rapporte *La Revue encyclopédique* :

Le Roi : Que voulez-vous et qui êtes-vous ?

L'Inconnu : Je m'appelle Dominique Vivant Denon, je ne veux rien que la grâce de contempler Votre Majesté.

Le Roi : Quoi, tu n'as rien d'autre à me demander ?

L'Inconnu : Non, Sire, si ce n'est d'échapper aux baïonnettes et aux gardes qui m'empêchent d'approcher votre personne.

Selon une autre version (tout aussi pieuse), Vivant ajoute simplement qu'il voudrait faire le portrait du roi, admirable modèle, cela va de soi, mais, en plus, *c'est vrai*, si l'on en croit Casanova, lequel a vanté la tête et l'allure du Bien-Aimé dans ses *Mémoires*.

Les biographes de Denon rapportent cette invraisemblable histoire et la corrigent en faisant de Laborde une sorte de rabatteur chargé de racoler non seulement des beautés nouvelles, mais aussi des jeunes gens de talent sachant observer, raconter, conter.

Admettons. Le style verbal de Vivant sera en effet souvent loué par la suite (c'est la moindre des choses).

Mais enfin, nous sentons qu'il y a autre chose, et que le fait de bombarder un inconnu, de but en blanc, conservateur des pierres gravées de Mme de Pompadour, ce n'est pas rien. La marquise vient de mourir, elle a légué sa collection au roi le plus collectionneur de femmes de tous les temps. Vivant, d'un bond, est propulsé dans le trésor de la Pompadour. Et le voici Gentilhomme Ordinaire du Roi. Il est séduisant, c'est entendu, mais quand même.

La bizarrerie se répétera pour l'histoire, tout aussi invraisemblable, de sa rencontre avec Bonaparte. Il y a un bal chez Talleyrand, le général passe, Vivant lui propose un verre de limonade, échange de propos, magnétisme immédiat, et hop, embarquement pour l'expédition d'Égypte.

On croit rêver.

On remarquera pourtant que ces deux contes de fées ont un point commun : l'Égypte. La plupart des pierres gravées de la collection Pompadour viennent de là. L'Égypte : elle est en train de sortir de terre et, avec elle, toute une réévaluation du passé. Champollion la *lira* bien plus tard : le *Précis du système hiéroglyphique* paraîtra en 1824, un an avant la mort de Vivant l' « Égyptien », ou, si l'on préfère, le « Sophisien ».

Quoi qu'il en soit, coup d'essai, coup de maître. A la mort de la marquise, Vivant avait dix-sept ans. Quel jeune homme français de l'époque, épris de liberté, n'a pas déliré sur elle, la Belle Jardinière ?

Pompadour ! Être dans ses tiroirs, ses secrets, ses médailles, ses *pierres* !

Tout cela est trop beau, il faut une erreur.

Ce sera le théâtre.

Nous sourions aujourd'hui de cette manie des auteurs du temps (mais, pour le nôtre, il suffit d'ajouter le cinéma ou la télévision). C'est ainsi : la reconnaissance sociale est là, se transmet là, se complote là, autour du Spectacle. Vivant y a-t-il cru vraiment ? S'est-il laissé entraîner pour fréquenter les actrices ? Voyons : Marivaux, en 1769, est mort depuis six ans. La pièce qui signifie la pente moralisatrice et gnangnan du temps est *Le Père de famille* de Diderot (oui, oui, le même Diderot que celui des audaces). Et voilà notre Denon rousseauiste avec sa *Julie ou le bon père*. Il se force, il s'efforce. Tous les poncifs de l'époque du double langage sont là. Le résultat est pitoyable. D'une nullité parfaite. On s'appelle Damis, Lisimond. On débite des choses de ce genre : « Depuis quand, Monsieur, faut-il que je vous rende compte de ce qui se passe entre mon père et moi ? » (c'est la fille au grand cœur qui parle). On est amoureux avec de bons sentiments qui, toujours, éternellement, donneront de la mauvaise littérature. Damis : « Quand le cœur est bon, la jeunesse est l'âge de la vérité. » Un noble vieillard, une fille honnête à peine troublée, un jeune homme cédant à la morale, on est en plein dans la convention larmoyante. Lisimond : « Ce qu'un honnête homme a promis à mon propre cœur doit être indépendant des circonstances. » Etc. C'est illisible, on n'y comprend rien, d'ailleurs il n'y a rien à comprendre que des platitudes. Le théâtre, à l'époque, c'est comme le roman ou la philosophie aujourd'hui : plus c'est nul, plus ça passe. A moins d'être doué à l'envers, si on peut dire, et de se révéler spécialement nul. Ce qui est le cas. Ces trois actes en prose de Monsieur Denon, Gentilhomme Ordinaire du Roi, représentés le 14 juin 1769 à la Comédie-Française, sont un four complet et mérité.

Vivant, en réalité, voulait impressionner sa famille provinciale. Il fait imprimer la pièce à ses frais et la dédie à son père : « Les sentiments que respire cet ouvrage vous appartiennent, puisque vous m'en avez fourni le modèle : ce n'est que d'après vous que j'ai pu tracer le tableau d'un bon père. » On s'en doutait, mais c'est un peu court pour une destinée hors pair.

Illusions de jeunesse : être joué, imprimé ; *exister*. Vivant fera même relier un exemplaire de sa pièce calamiteuse pour la Du Barry. Carte de visite manquée. Il faut que le cœur se brise ou se bronze, dira quelqu'un. Sa véritable éducation commence.

La métamorphose de Vivant Denon : autre énigme. Comment peut-on passer d'une telle niaiserie à la lucidité percutante et physique de ce chef-d'œuvre : *Point de lendemain* ? Restons sur ce constat : Vivant n'est pas œdipien. On ne tue pas un père qui s'appelle Vivant, comme vous. On rentre dans le silence et les grandes manœuvres. On redouble d'attention et de discrétion. On s'appelle *Vivant*, donc, pas *Morbide*. Naïveté, mais pas bêtise. Combien de livres, de nos jours, essais ou romans pourraient être signés Morbide X. ou Morbide Z., tantôt masculins, tantôt féminins ? Chaque temps a ses clichés d'apparences. Vérifiez : tel auteur sinistre et désespéré, pathétique, suicidaire, négateur en diable, est, dans l'existence quotidienne, la gaieté même. Tel ou telle, rempli de bons sentiments, se dépasse à l'occasion, dans la mesquinerie ou la cruauté. Tel apologiste de la vertu ou de la morale, atteint, dans la vie courante, des sommets de cynisme. Rien de très nouveau sous le soleil, jeune homme. La Révolution, dira Baudelaire, a été faite par des voluptueux (il pensait à Laclos). Peut-être, mais la Terreur, indubitablement, a été conduite par des vertueux. Rien de plus rare, finalement, que la volupté *consciente*. On peut supposer que c'est vers elle que Vivant va se diriger. La société exige un masque ? On en mettra un, et même plusieurs. La vraie vie ? Une société secrète. Il faut prendre au sérieux, je crois, ce passage de *Point de lendemain* qui commence par : « La discrétion est la première des vertus ; on lui doit bien des instants de bonheur. »

Et, tout de suite après :

« Tout cela avait l'air d'une initiation. On me fit traverser un petit corridor obscur, en me conduisant par la main. Mon cœur palpitait comme celui d'un jeune prosélyte que l'on éprouve avant la célébration des grands mystères. »

Oui, Vivant Denon est au courant, à ce moment-là, de la découverte, à Pompéi, de la villa des Mystères. Il sera à Naples bientôt. Oui, la nuit de *Point de lendemain* a lieu en trois étapes comme les initiations maçonniques fréquemment théâtralisées au XVIIIᵉ siècle. Oui enfin, Denon n'a pas attendu d'aller en Égypte pour y être, mais son chemin à lui passe par ce que les femmes, visiblement très tôt, décident de lui révéler. La discrétion de « l'aimable Mr Denon » (comme l'appellera Stendhal) sera légendaire. On lui posera beaucoup de questions auxquelles il répondra, le plus souvent, par un sourire. Celui qui sait, ne parle pas. Celui qui parle, ne sait pas.

Voici une lettre de Vivant à une destinataire inconnue, peut-être l'actrice Mlle George Marguerite-Joséphine Wemmer (1787-1867) dont le peintre Gérard avait fait le portrait. L'écriture est de ses dernières années. On aime ce que disent de lui les commentateurs : « On sait que Denon, jusqu'à la fin de sa vie, aima et fut aimé. Ses eaux-fortes et ses lithographies représentent souvent des femmes dont beaucoup étaient célèbres à l'époque. »

On sait? On ne sait rien.

Mais voici la lettre (c'est ce qui s'appelle parler à une femme) :

« Il m'a fallu, deux ou trois fois, regarder la signature, me demander quel était mon nouvel état, mon bonheur présent, et je n'ai rien compris, sinon que vous me demandez votre portrait que je n'ai point envie de vous rendre et que je garderai s'il vous plaît.

« J'irai vous voir, si vous le permettez, vous me rendrez le Buste et la Coupe si vous n'en avez plus affaire. Je vous aimerai toujours, et vous me le rendrez, parce que je ne vois pas de raisons pour que cela soit autrement.

Denon. »

Triomphe de la raison en amour, petit syllogisme stratégique :

Je vous aimerai toujours

Et vous me le rendrez

Parce que je ne vois pas de raison que cela soit autrement.

De ce temps, dit « d'ancien régime » (mais dont il faudrait dire plutôt qu'alors le temps était réellement le Temps), Denon a donc gardé jusqu'au bout le style. Il faut voir les deux portraits de jeunesse qu'a faits de lui son ami Augustin de Saint-Aubin. Une préparation pour une gravure intitulée *Le bel paré* où l'on voit Vivant en train de danser. Et une mine de plomb, pierre noire, craie blanche, sanguine, pastel rose et gris-bleuté sur papier légèrement bruni : profil droit, format circulaire. Élégance, délicatesse, fermeté.

Le légendaire cardinal de Bernis aura été, lui aussi, l'ami de Vivant. Est-ce lui qui l'aura rendu curieux de l'Italie, de Naples, de Venise (où Bernis aura partagé une maîtresse avec Casanova)? Peut-être. La vie de chacun de ces corps est un roman interminable. Que pensait le cardinal de Mme de Pompadour? Voici :

« La marquise n'avait aucun des grands vices des femmes ambitieuses; mais elle avait toutes les petites misères et la légèreté des femmes enivrées de leur figure et de la prétendue supériorité de leur esprit : elle faisait du mal sans être méchante, et du bien par engouement; son amitié était jalouse comme l'amour, légère, inconstante comme lui, et jamais assurée. »

Il est vrai qu'il s'agit là d'un jugement politique.

L'esprit du temps? Casanova, sur Bernis :

« Le sérieux d'une première rencontre n'empêcha point la fine plaisanterie, car M. de Bernis sous ce rapport était Français, dans toute la force du terme. J'ai beaucoup voyagé, beaucoup étudié les hommes individuellement et en masse, mais je n'ai trouvé la vraie sociabilité que chez les Français; car eux seuls savent plaisanter, et la plaisanterie fine et délicate, en animant la conversation, fait le charme de la société. »

Il ne serait pas venu à l'idée de Casanova d'écrire dans une autre langue que le français. Cela, je crois, se passe de commentaires. Le français, comme énergie ou pointe fine de langue, doit-il mourir pour ressusciter? Le problème est là. Il surgira, un siècle après, avec l'apparition de Lautréamont, de Rimbaud. Puis, de nouveau, avec Proust et Céline. Denon, lui, va croiser, tour à tour, Stendhal et Chateaubriand. Mais aussi, d'emblée, et comme par hasard, deux grandes stars de son adolescence : Diderot, Voltaire. Pour cela, il lui faut quitter la France, aller en Russie puis en Suisse. Oui, décidément, toujours le roman.

2.

Notre agent à Saint-Pétersbourg

Vous êtes un jeune homme de bonne figure, sachant parler et danser, passé en quelque temps d'un légitime étonnement provincial à une science des déplacements physiques; votre conversation est brillante, vous allez vite dans les évaluations; vous avez compris que le théâtre est partout sauf au théâtre; vous gardez malgré tout un fond de sincérité et d'honnêteté qui font ressortir vos qualités d'apparence.

Vous plaisez aux femmes, qui ne demandent pas mieux que de vous faire progresser. Elles le font. Ce sont les femmes des *Égarements du cœur et de l'esprit*, ou de *La nuit est le moment* de Crébillon fils, pas encore celles des *Liaisons dangereuses*. Le libertinage est un art d'affranchissement, et cet art est à son comble, triant, sélectionnant, séparant le lourd du léger. La surface n'est pas le contraire de la profondeur. Il s'agit de le faire savoir au monde entier.

Vous êtes observé. Vos talents sont de plus en plus évidents, on pense à vous pour le « cabinet secret ». La diplomatie a besoin de jeunes gens comme vous dans les Ambassades, pas de fonctions trop définies, vous serez désavoué si ça tourne mal, à vous de vous renseigner, de

41

jouer. Prêt ? Prêt. Vous irez à Saint-Pétersbourg, chez l'Impératrice.

Un journal français titrait récemment, à la une : *Les lettres retrouvées de l'impératrice ardente* [1] :

« Catherine II de Russie (1729-1796), née Sophie Frédérique von Anhalt-Zerbst, était une femme de tête, protectrice des arts et des philosophes des Lumières, grande réformatrice de la Russie et impitoyable dépeceuse de la Pologne. Mais l'histoire a également retenu de cette souveraine un tempérament ardent qui ne trouvait aucun répondant chez son époux, le tsar Pierre III, débile physiquement et intellectuellement, qu'elle déposséda du pouvoir et fit assassiner en 1762. Celle qu'incarna de manière somptueuse Marlène Dietrich dans le film *L'Impératrice rouge* de Josef von Sternberg, avait un goût prononcé pour les officiers de sa garde.

Elle les faisait sélectionner par son aide de camp, le maréchal Grigori Potemkine, celui-là même qui faisait construire des villages en carton-pâte lors des déplacements de la tsarine pour dissimuler la misère dans laquelle vivaient les moujiks. Avant d'accéder à la couche impériale, les élus devaient effectuer une période d'essai dans les bras de la dame de compagnie de la Grande Catherine, la comtesse Burce. L'un de ces officiers – Ivan Rimski-Korsakov, un aïeul du célèbre compositeur –, pour lequel Catherine éprouvait des sentiments enflammés, eut la malchance d'être surpris en compagnie de la comtesse Burce bien après la fin de son « noviciat ».

De colère, Catherine chassa l'infidèle de la cour de Saint-Pétersbourg, non sans s'être auparavant assurée de son silence avec force roubles-or. Dans ses bagages, Ivan

---

1. Luc Rosenzweig, *Le Monde*, 1995.

Rimski-Korsakov emmenait une liasse de lettres de l'impératrice, reliées de maroquin rouge. Ce sont ces lettres qui viennent d'être découvertes... « Je suis submergée par l'impatience, Ô ma créature divine ! Si tu n'arrives pas vite, je te ferai chercher dans toute la ville ! » écrivait par exemple Catherine. Il semble bien que l'officier répondit sans retard à l'impérial désir puisqu'on peut lire, toujours sous la plume de la tsarine, dans une autre lettre : « Tout sculpteur devrait faire ta statue, tout peintre ton portrait, tout poète chanter ton éloge. Toutes mes pensées sont tournées vers les heures merveilleuses que nous avons passées ensemble. »

Plus de mur de Berlin, plus d'Empire soviétique : les lettres de l'impératrice, retrouvées en Suisse, sont à vendre à Londres. Marlène Dietrich s'éloigne en noir et blanc ; ces mots d'amour arrivent en couleur.

Voilà *chez qui* arrive Vivant en 1772, à l'ambassade de France dirigée par M. Durand de Distroff. Il a le titre de Gentilhomme d'Ambassade (l'équivalent d' « attaché honoraire »). Il peut faire à peu près ce qu'il veut, mais n'est pas payé. En somme, il est à l'essai.

En allant vers Saint-Pétersbourg, il est bien entendu passé par l'Allemagne, et n'a pas manqué l'étape de Potsdam, chez Frédéric II. Il a visité *Sans-Souci* où l'on se souvient de Voltaire (qu'il ira visiter trois ans plus tard à Ferney). Surtout, il peut constater, cinquante ans après sa mort, la gloire de Watteau, au style duquel Frédéric reste fidèle. Une des deux versions de *L'Embarquement pour Cythère* est là, ainsi que *L'Enseigne de Gersaint*. Souvenir et leçon pratique : il faut souvent aller à l'étranger pour découvrir ce qu'on a tendance à vous cacher chez vous. On regarde mieux, aujourd'hui encore, Fragonard à New York, Cézanne à Bâle, Watteau à Berlin.

Frédéric II, Catherine II : voilà des souverains qu'on pourrait appeler *médiatiques*. Ils savent s'y prendre. Ils sont d'autant plus attentifs à la force de la communication que leurs actes démentent cruellement leur philosophie supposée. Catherine va réprimer sauvagement la révolte de Pougatchev, le faire balader dans une cage de fer et décapiter. Il faut être (déjà) un intellectuel français pour passer sur des énormités politico-militaires, et se projeter narcissiquement sur un despote censé s'éclairer à votre lanterne. La France, il est vrai (déjà), néglige ses écrivains, ses penseurs, le mouvement de connaissance irréversible qu'ils ont déclenché. Les *philosophes* sont persécutés, amers ? Très bien, on va se servir d'eux en Allemagne, en Russie. On va les flatter, faire semblant de les écouter, parler leur langage. La cour de France ne comprend pas les enjeux ? Tant mieux. Laissons Louis XV à son amour dispendieux des femmes, nous, Catherine, Frédéric, nous préférons consommer les hommes, nous sommes dans le sens de l'histoire, voilà une loi économique et sexuelle jamais dite, mais enfin, elle crève les yeux. Voltaire, Diderot n'ont guère le choix. Ils sont d'ailleurs assez prudes (ceux qui se réclameront d'eux ne feront qu'accentuer ce trait : il y a déjà là un risque d'embourgeoisement largement exploité au XIXe siècle). *L'Encyclopédie* est réprimée, les humiliations abondent. De l'autre côté, considération et même adulation. Et voilà comment la France, dès cette époque, commence à perdre la guerre des ondes au profit de Berlin, de Moscou.

Il me semble que Denon comprend cela, autrement dit qu'il y voit plus clair. Il est vrai que les philosophes ont soixante ans (Diderot) et presque quatre-vingts (Voltaire).

Lui, il a vingt-cinq ans, un long avenir à vivre. Louis XV va mourir, Vivant sera déçu, sans aucun doute, par Louis XVI, malgré la protection de Vergennes, bientôt nouveau ministre des Affaires étrangères, un Bourguignon comme lui.

La passion entre Frédéric II et Voltaire remplit, on le sait, un rayon de bibliothèque. Mais Catherine n'est pas moins louée par l'auteur de *Candide*. A propos de l'assassinat de Pierre III par son épouse éclairée, il écrit à Mme du Deffand : « Tout ce que je sais, c'est qu'il (le tsar) a été poursuivi, pris et mis en prison, et qu'il ne s'est consolé qu'en buvant du punch pendant huit jours de suite, au bout desquels il mourut. »

Plaisante façon d'expédier un meurtre. Mais voici encore des vers :

Catherine veille au milieu des conquêtes,
Tous ses jours sont marqués de combats et de fêtes,
Elle donne le bal, elle dicte des lois,
De ses braves soldats dirige les exploits.

Les braves soldats meurent ou font l'amour, ce qui, au fond, pour une femme impériale, revient au même.

Pourquoi s'étonner, presque deux siècles après, des vers lyriques d'Éluard ou d'Aragon à la gloire de Staline ? Le pli d'une certaine dévotion s'est pris là. Le goût s'est quand même beaucoup dégradé : plutôt Catherine après tout, que les moustaches du Maréchal petit père des peuples, pénible érotisme.

Comment est-elle, l'impératrice rouge, si nous arrivons à oublier Marlène Dietrich ? Description d'un témoin du temps : « Taille longue et fine, démarche affectée et peu gracieuse, poitrine étroite, long visage, surtout le menton, éternel sourire aux lèvres, bouche enfoncée, nez légèrement aquilin, petits yeux, regard agréable, visage marqué par la petite vérole, jolie plutôt que laide mais n'inspirant pas un sentiment violent. »

Vivant l'a-t-il approchée ? Officiellement, c'est peu probable. Catherine a un sens très strict du protocole. Mais *indirectement* ? Du côté des dames de compagnie ? Là, je pense qu'il y a une possibilité sérieuse, étant donné la qualité de ses renseignements.

Au travail, donc. Le « Gentilhomme d'Ambassade » n'a pas d'horaire fixe dans la Venise du Nord. Il va, il vient, il trouve, il emploie son corps.

Au programme : la Suède (éviter qu'elle se rapproche trop de la Russie) ; la Pologne (seul, Rousseau, il faut le noter, réprouve la politique russe à son égard : Staline et Hitler, ici, se dépasseront dans le crime, avec comme résultat, pour notre époque, un pape polonais) ; l'Empire Ottoman, c'est-à-dire la question de l'expansion russe en Méditerranée (et Vivant retrouvera le problème à Naples).

Là-dessus, ou dessous, évidemment, couvrant les intérêts du commerce à travers les armes, l'affaire religieuse : catholiques, protestants, orthodoxes, Islam. Les choses ont-elles tellement changé de nos jours ? On ne dirait pas.

Les Philosophes, excédés par les poursuites contre l'*Encyclopédie,* sont à l'opposé des intérêts stratégiques français. Voltaire, par exemple, écrit à Catherine :

« Votre Majesté me rend la vie en tuant les Turcs. La lettre dont Elle m'honore me fait sauter du lit en criant Allah ! Catherine ! J'avais donc raison, j'étais plus prophète que Mahomet, l'ange Gabriel m'avait instruit de la défaite entière de l'armée ottomane. »

Voltaire n'ira pas à Saint-Pétersbourg, mais Diderot, oui. Frédéric-Voltaire ; Catherine-Diderot : le grand film des couples célèbres commence. Plus tard, les vociférations massacrantes d'Hitler auront leurs convaincus, et les répressions de masse de Staline, aussi. En somme, pour beaucoup, et non des moindres, ce sera T.S.F. : Tout sauf la France.

Denon sera, je crois, *édifié* par ses deux missions en Russie et dans le royaume de Naples. Il aura l'expérience d'un gouvernement français hésitant, de plus en plus flou et lâche ; il observera les effets de collaboration avec l'adversaire. On peut supposer que ses jugements, en dehors des dépêches diplomatiques, chiffrées ou non, seront informés et sévères. Cela explique beaucoup de choses pour la conduite ultérieure de sa vie, y compris le fait qu'il saisisse un jour, au vol, l'aventure avec Bonaparte.

Quand Diderot arrive à Saint-Pétersbourg, il est soupçonné d'avoir écrit la préface de *De l'Esprit*, d'Helvétius dédié à l'impératrice. On lit : « Ce n'est plus sous le nom de Français que ce peuple pourra de nouveau se rendre célèbre. Cette nation avilie est aujourd'hui le mépris de l'Europe. Nulle crise salutaire ne lui rendra la liberté. C'est par la consomption qu'elle périra. La conquête est le seul remède à ses malheurs, et c'est le hasard et les circonstances qui décident de l'efficacité d'un tel remède » etc.

Jugement exagéré ? Sans doute, mais pas insignifiant pour autant. Encore, encore, peut, à juste titre, penser Sa Majesté Impériale. Rien n'est plus éloigné d'un Français, on le sait, que l'expression britannique : « right or wrong, my country ». Cette haine de soi (dont l'envers est un nationalisme débile) est une spécialité pathologique dont nous sommes loin d'avoir mesuré les effets. Français, encore un effort, pour moins vous détester et, par contre-poids, vous surestimer.

Diderot, en réalité, intéresse personnellement Vivant de plusieurs manières, à commencer par son habileté dans le trafic d'art. Il a négocié pour les Russes la vente de l'une des plus importantes collections françaises, celle de Cro-zat. C'est ainsi que commencera le musée de l'Ermitage : Giogione, Raphaël, Véronèse, Titien, Van Dyck, Rembrandt, Watteau, Chardin. Diderot y ajoutera deux Poussin venant de chez un joueur ruiné, le marquis de Conflans, ce dernier ne les ayant « jamais regardés ».

Voilà, ça vous apprendra à ne vouloir ni ouvrir les yeux sur la beauté plastique, ni lire les nouveautés de fond. Puissance souterraine de la peinture et de l'écrit : le som-meil de Versailles, à ce sujet, coûtera de plus en plus cher.

On peut penser qu'une première idée d'un musée récupérateur à venir se forme alors dans l'esprit du jeune amateur et dessinateur Denon, futur fondateur du Louvre.

D'autre part, Diderot est tout à fait sérieux et médite de diriger intellectuellement l'impératrice. Il la voit souvent seul à seule, après le dîner, pour de longs entretiens. D'après Grimm, il lui « saisit le bras, tape sur la table comme s'il était au milieu de la synagogue de la rue Royale » (c'est-à-dire à Paris, chez d'Holbach). Pour cer-tains, il va même plus loin : il appelle Catherine II « ma bonne » et lui taperait volontiers, aussi, sur les cuisses, ce qui obligerait Sa Majesté Impériale à interposer une table entre elle et son philosophe pour ne pas ressortir de là, « les cuisses meurtries et toutes noires. »

On imagine mal Louis XV se laissant bousculer ainsi par un intellectuel bourgeois. Aurait-il dû ? C'est probable.

Denon est quand même chargé d'influencer Diderot. Ne peut-il glisser, ici ou là, des considérations favorables à son pays ? Ce serait bien. Du coup l'ambassadeur écrit à Versailles : « J'ai dit à M. Diderot ce que j'attendais d'un Français. Il m'a promis d'effacer, s'il est possible, les préjugés de cette princesse contre nous et de lui faire sentir ce que sa gloire pourrait acquérir d'éclat par une union intime avec une nation plus capable qu'une autre de rendre justice à ses qualités éminentes et de n'user avec elle que de procédés nobles » (6 novembre 1773). Belles paroles, peu de résultats. Le destinataire, le duc d'Aiguillon, est sceptique, et il n'a pas tort.

En revanche, ce petit Denon se débrouille. Dans les bagages de Diderot rentrant en France, il y aura des documents secrets, comme le prouve cette lettre de l'ambassadeur du 7 mars 1774 :

« M. Diderot s'est chargé de remettre à M. de Noailles un paquet qui contient plusieurs états relatifs au commerce de la Russie et une carte de la mer Noire d'autant plus intéressante qu'on y a désigné les forteresses à créer à l'embouchure du Don, ignorées ou mal rendues par les cartes gravées. Je dois à M. Denon, dont les talents et l'activité se portent sur tous les objets qui peuvent le rendre utile, la copie de cette carte qui a été faite nouvellement par ordre du gouvernement et qui nous a été livrée quelques moments par les officiers employés à sonder toute cette mer. »

Diderot *passeur* de secrets militaires, l'affaire ne manque pas de sel. L'Impératrice lui a offert une tasse et une soucoupe. Pour le reste, elle a mis les choses au point. Les théories, c'est très beau, mais la réalité est tout autre chose. Des mots ? Tant que vous voudrez. Mais le peuple doit rester le peuple ; « le pain qui nourrit le peuple, la religion qui le console, voilà ses seules idées ». Plus tard, Catherine achètera la bibliothèque de l'auteur du *Neveu de Rameau* : cela se saura, et fera le meilleur effet.

Pougatchev est en train de soulever l'Oural avec une armée de cosaques, de serfs et d'ouvriers ? On lui coupera la tête. L'ambassadeur de France écrit le 12 avril 1774 : « Jusqu'ici il ne s'est rien passé d'important entre les troupes des révoltés et celles qui sont aux ordres de M. Bibikoff. M. Denon a toujours été à portée d'en donner de fidèles rapports, ayant accès dans l'intérieur de la famille de ce général composée d'une jeunesse incapable de cacher sur sa physionomie la nature des événements et d'une fille très au fait de ce qui concerne son père. »

Monsieur Denon est « toujours à portée », il « a accès ».

Par exemple, un sénateur parle « à une femme avec laquelle il vit, et chez qui M. Denon *a accès* ».

Et que lui dit-il ? « Vous avez vu arriver l'Impératrice chez moi, la nuit, déguisée en homme pour venir chercher son Roi de Pologne (Potemkine). C'était pure débauche, car je lui ai entendu dire qu'elle ne l'aimait pas ; qu'elle se servait des hommes tant qu'ils valaient quelque chose, mais qu'après cela elle voudrait les jeter au feu comme de vieux meubles... Cependant elle est folle de ce nouveau venu : ils doivent bien s'aimer car ils se ressemblent complètement. Mais cette intrigue cause bien de l'agitation et de l'embarras. Au reste, elle sait trop bien, malgré son ivresse, qu'elle ne tardera pas à avoir une nouvelle fantaisie et qu'il faudra encore en revenir à moi... »

Une fille de général, une femme qui vit avec un sénateur au courant des débauches de l'Impératrice, comment
ne pas apprécier la relation d'un tel Gentilhomme
d'Ambassade ? Vivant fait merveille, et son ambassadeur,
en fin de carrière, est content de lui.

« Les préventions qu'on voudrait donner au grand Duc
et à la grande Duchesse sont heureusement combattues
par l'ascendant que prend sur l'un et l'autre la personne
qui est liée avec M. Denon, lequel transmet ce que nous
avons à opposer à des insinuations si peu méritées et si
contraires au bien des trois couronnes. Je continue à me
servir de cette ressource heureuse pour empêcher qu'une
haine injuste et démesurée et qui pourrait être fatale à
l'Europe ne devienne héréditaire. »

Vivant s'intéresse à tout, note tout. Pour la *Gazette de
France,* par exemple, il écrit un article très détaillé sur les
manufactures de Hambourg. « L'ouvrier russe le plus
adroit ne sait plus rien faire dès qu'il n'est plus commandé,
n'a nul choix dans son travail »... C'est « une fatalité que
le gouvernement attache à l'esprit de la nation » qui fait
que « l'élève de l'Académie des Arts de Pétersbourg qui
sait graver, sculpter et peindre veut bien, en sortant de
cette Académie, être laquais, coureur ou perruquier »...
Marine de guerre, manies de la souveraine, commerce,
psychologie populaire, tout est descriptible : c'est l'esprit
même de l'*Encyclopédie.*

Il faut lire les *Mélanges* écrit par Diderot à Saint-
Pétersbourg du 5 octobre jusqu'au 3 décembre 1773.
C'est génial, un peu fou, souvent naïf, formidablement
émouvant. Ainsi de l'article intitulé *Sur l'Encyclopédie* :
« J'ai travaillé près de trente ans à cet ouvrage. De

toutes les persécutions qu'on peut imaginer, il n'en est aucune que je n'aie essuyée. Je laisse là les libelles diffamatoires de toutes couleurs. J'ai été exposé à la perte de l'honneur, de la fortune, de la liberté. Mes manuscrits circulaient de dépôt en dépôt, recelés tantôt dans un lieu, tantôt dans un autre. On a tenté plus d'une fois de les enlever. J'ai passé plusieurs nuits à ma fenêtre dans l'attente de l'exécution d'un ordre violent. J'ai été sur le point de m'expatrier, et c'était le conseil de mes amis, qui ne voyaient plus de sûreté à Paris pour moi. L'ouvrage a été proscrit et ma personne menacée par différents édits du roi et par plusieurs arrêts du Parlement. Nous avons eu pour ennemis déclarés la cour, les grands, les militaires, qui n'ont jamais d'autres avis que celui de la cour, les prêtres, la police, les magistrats, ceux d'entre les gens de lettres qui ne coopéraient pas à l'entreprise, les gens du monde, ceux d'entre les citoyens qui s'étaient laissé entraîner par la multitude. Cependant, au milieu de ce déchaînement général, tout le monde souscrivait. Ils voulaient avoir l'ouvrage et perdre les auteurs. »

Voilà le grand style. Quand le français en arrive là, il est invincible.

Diderot, pour sa Catherine, aborde à peu près tous les sujets. Imaginons Vivant lisant par-dessus son épaule, la nuit, à la bougie, dans le silence de Saint-Pétersbourg :

« *Feuillet sur un moyen de tirer parti de la religion et de la rendre bonne à quelque chose* : les mahométans dansent dans leurs temples. Si j'étais sultan et que je voulusse inspirer à mes sujets de la sociabilité, je partirais de là pour faire danser dans les temples les hommes seuls, les femmes seules, les hommes avec les femmes. Je ferais tant par mes imams que la danse religieuse passerait des temples dans les maisons, des maisons dans les rues, et que peu à peu l'esprit religieux s'oublierait et que la danse deviendrait un amusement public et général. »

Ou encore (le chapitre s'appelle *Du luxe*) :

« Et puis, quand Denis passe dans les rues de la capitale, c'est un tumulte, un bruit, des acclamations, des *Vive Denis*! qui ne finissent point; et puis Denis, qui a l'âme tendre, s'élance de son carrosse, on l'embrasse; il est embrassé sur le Pont-Neuf comme Catherine seconde l'est dans son couvent (celui des Demoiselles nobles, une des créations favorites de l'Impératrice) et le sera un jour dans les rues, et puis il meurt doucement, pleuré, regretté, honoré : ou bien on le tue et il meurt violemment. Et qu'est-ce que cela fait? Il n'en est ni plus ni moins mort. »

Ou encore *Sur la tolérance* (et qui dira qu'il ne faut pas lire ces lignes *aujourd'hui*?) :

« L'intolérance, surtout celle du souverain, donne de l'importance aux choses les plus frivoles.

L'intolérance, surtout celle du souverain, devient un motif d'exclusion et une raison d'avancement aux places où on ne devrait arriver que par le mérite.

« L'intolérance engendre les dénonciations odieuses et la haine entre les sujets.

« L'intolérance rétrécit les esprits et perpétue les préjugés.

« L'intolérance, qui n'est jamais favorable à la vérité, ne peut être avantageuse qu'au mensonge. La vérité aime l'examen, elle ne peut qu'y gagner; le mensonge le craint, il ne peut qu'y perdre.

« L'intolérance a été un des grands fléaux de ma nation, non pas seulement par le sang qu'elle a répandu, la multitude prodigieuse d'excellents hommes en tout genre qu'elle a expatriés et dont elle a enrichi les royaumes circonvoisins, mais par la perte d'un grand nombre d'excellents esprits. »

Mais il y a aussi cet avertissement : « La tolérance n'est jamais que le système du persécuté, système qu'il abandonne aussitôt qu'il est assez fort pour être persécuteur. »

Et encore : « Si Dieu se montrait au haut de l'atmosphère et qu'il parlât aux hommes en faisant le tour du globe avec notre planète, il retrouverait les hommes s'égorgeant sur le discours qu'il aurait tenu. »
N'est-ce pas ?
Et encore : « Il n'y a qu'un devoir, c'est d'être heureux. Puisque ma pente naturelle, invincible, inaliénable, est d'être heureux, c'est la source et la source unique de mes vrais devoirs, et la seule base de toute législation. »

Enfin, ceci (chapitre *Sur ma manière de travailler*) :
« On a publié contre l'homme et contre l'auteur dix mille papiers. Que sont-ils devenus ? On l'ignore, et l'homme et l'auteur sont restés tout juste à la place qui leur était due, excepté en ce moment, où il plaît à Votre Majesté de leur accorder mille fois plus qu'ils ne méritent. »

Oui, voilà le style qui méritait bien, après tout, de voter la liberté du monde et de décréter que le bonheur était une idée neuve en Europe. Il ne vient pas, ce style, de l'Académie : « C'est une suite de beaux génies et non une académie qui forment une langue. Rabelais, Marot, Malherbe, Pascal, Corneille et Racine ont fait la nôtre. Une académie ne la perfectionne point, ne lui conserve point la pureté ; elle n'en fera jamais bien le dictionnaire, quoiqu'il semble que cet ouvrage lui soit propre. »

– Qu'en pensez-vous, jeune homme ?

– C'est très bien, monsieur.

– Appelez-moi Denis.

– Et vous, Vivant.

– Sa Majesté ne sera pas trop vexée de certaines formules ?

– Il faut ce qu'il faut.

– Je me demande si elle ne se joue pas de moi.

– Comme vous vous jouez d'elle.

– Donnez-moi ces Cartes. Après tout, nous sommes français.

– J'allais vous le dire.

– Ne riez pas.

– Mais si.

– Vous riez toujours comme cela ?

– Autant que possible.

– Vous dessinez très bien. Vous n'écrivez pas ?

– Un jour, peut-être.

– Quel genre ?

– Un conte, je pense.

– Faites attention à vous.

– Vous aussi.

(J'invente, bien entendu, ce dialogue, et j'ajoute même qu'à ce moment-là la neige tombe, mais cela ne veut pas dire nécessairement qu'une telle scène n'a pas eu lieu.)

L'expulsion de Vivant est une drôle d'histoire.

Avec un conseiller de légation, Langeac, il se présente le 11 mai 1774, à huit heures du soir, avec deux carrosses, devant le théâtre du corps de ballet de Saint-Pétersbourg.

Les deux hommes et un complice vont sous les fenêtres de la Direction des spectacles où les attend, assise sur la fenêtre, la comédienne Dorseville qui est, là, retenue aux arrêts (c'est donc un agent de l'espionnage français).

Mlle Dorseville se laisse tomber de sa fenêtre dans les bras de ses libérateurs, les carrosses démarrent, une sentinelle russe donne l'alerte, d'autres sentinelles arrêtent les carrosses, s'emparent de Mlle Dorseville arrêtée par ordre de l'Impératrice, et la reconduisent aux arrêts. « Cela, précise une note diplomatique à l'ambassadeur de France, ne se fit pas sans opposition de la part de ces Messieurs qui voulurent arracher la comédienne aux soldats et qui les frappèrent ainsi que leur sergent. Il se fit beaucoup de trouble et de rumeur dans la rue. On s'attroupait de toute part à l'éclat d'une pareille scène. Les soldats auraient fait un mauvais parti à MM. de Langeac et Denon et les auraient arrêtés et mis en prison, s'ils n'avaient pas vu s'intéresser à eux le Comte Razoumovsky, gentilhomme de la Chambre de l'Impératrice, qu'ils reconnurent et par égard pour lequel ils laissèrent retirer tranquillement ces deux messieurs. »

Moralité : Vivant Denon est prié de quitter immédiatement la Russie. Comme par hasard, il part pour la Suède où Vergennes est ambassadeur. Comme par hasard encore, lorsqu'il arrive à Stockholm, Louis XV vient de mourir, et Vergennes vient d'être nommé ministre des Affaires étrangères de Louis XVI.

Voyons, voyons. Bien entendu, tout le monde, dans la nébuleuse de l'espionnage, espionne tout le monde. Mais ce scandale si visible, si public, a l'air d'une pièce de théâtre. Qui a voulu prouver quoi ? Faire partir qui ? Et pourquoi ? Comme on aimerait avoir le point de vue de Mlle Dorseville (et de combien d'autres !). Ce comte Razoumovsky, n'est-ce pas lui que nous retrouverons à Naples dans l'entourage de la reine Marie-Caroline ? Qu'est devenu Langeac ? Quel rôle joue exactement Denon ? Sa vie était-elle en danger ? Après tout, c'est possible. Expulsé, donc, mais vivant. Il ne reprendra pas de service officiel avant longtemps (huit ans), puisque sa lettre de remerciement pour sa nomination de chargé d'affaires à Naples date du 6 juillet 1782. Mais rien n'interdit de penser qu'il poursuivra ses activités clandestines. Nous venons en tout cas de noter un point important : son courage physique. Il y en aura d'autres exemples, souvent surprenants.

Catherine II meurt en 1796. Avec la Révolution française, inutile de dire qu'elle est devenue totalement allergique à l'esprit des Lumières. Son fils, Paul Ier, se charge de l'oubli qui convient à ces fantaisies. Catherine disait déjà à Diderot : « Vous ne travaillez que sur le papier, qui souffre tout, tandis que moi, pauvre impératrice, je travaille sur la peau humaine qui est bien autrement irritable et chatouilleuse. »

Il y aura ainsi, beaucoup d'écrits sur la *peau* (et comment ne pas penser, ici, à la terrible nouvelle de Kafka, *La Colonie pénitentiaire*, sans parler de Dostoïevski et de ce qu'on pourrait appeler la tradition du Goulag ? Diderot pouvait-il supposer la multiplication de l'horreur en Russie ? Et Voltaire le déferlement de la bestialité pure en Allemagne ? Faut-il accuser les Lumières d'être la « cause » de tels effets ? Bien sûr que non, et pourtant ça s'est dit, et ça se redit).

Il est quand même extraordinaire qu'un chef-d'œuvre de la prose française (à l'opposé de ce qu'écrivait Diderot dans les nuits d'hiver de Russie) porte le titre de *Soirées de Saint-Pétersbourg*. Il paraîtra en 1821. Son auteur est Joseph de Maistre. L'Histoire est un roman qu'il faut oser penser à partir de telles contradictions.

Rien ne permet de croire que Vivant ait revu Diderot. En revanche, l'autre grande star, la star incomparable du XVIIIe siècle, le Pouvoir Intellectuel en personne (le pauvre Rousseau, autre star qui aura sa revanche, en sait quelque chose), la bête noire, un jour, de De Maistre mais aussi de tous les réactionnaires de tous les pays et de tous les temps, va le recevoir.

C'est, dans la vie de Vivant, son affaire Voltaire.

3.

Un cavalier chez Voltaire

D'où vient que nous retrouvions soudain Vivant en Suisse ?

Nous n'avons, sur les raisons de cet étrange déplacement, aucun document, aucune archive. La plupart des historiens, sans s'appesantir, pensent à une mission diplomatique secrète auprès des Cantons. D'autres trouvent cette hypothèse exagérée, et veulent seulement retenir une campagne d'autopublicité de notre cavalier aux dépens de Voltaire.

Le raisonnement est le suivant : comment quelqu'un qui vient de provoquer un tel scandale à la Cour de Russie pourrait-il être de nouveau en action ? N'est-il pas en quarantaine ? Sa carrière n'est-elle pas brisée ? Ne se retrouve-t-il pas *brûlé* ? Il ne pourrait, autrement dit, qu'agir pour son propre compte.

Mais on pourrait dire aussi le contraire : Vivant est protégé, il est désormais un agent plus profond à plusieurs entrées, officieux, sans signature avérée, couvert par son activité de dessinateur et de graveur, masque idéal pour des repérages. Nous avons tendance, dans notre vieux monde revenu de tout, à oublier, par exemple, les questions religieuses. Or elles ne sont pas minces, à l'époque, surtout à Genève.

Quoi qu'il en soit, voici Vivant dans les montagnes et demandant à Voltaire la permission de venir le voir à Ferney. Pourquoi, d'ailleurs, Voltaire ne serait-il pas l'*objet* particulier de cette visite insolite ? Vivant a vu Diderot, pourquoi n'irait-il pas jeter un coup d'œil dans l'antre du patriarche des Lumières ? On peut même imaginer, comme la suite de l'aventure semble l'indiquer, qu'il s'agit d'une habile provocation.

« A Genève, le 3 juillet 1775.

« Monsieur,

« J'ai un désir infini de vous rendre mon hommage. Vous pouvez être malade, et c'est ce que je crains ; je sens aussi que souvent il faut que vous vouliez l'être, et c'est ce que je ne veux pas dans ce moment-ci. Je suis gentilhomme ordinaire du roi, et vous savez mieux que personne qu'on ne nous refuse jamais la porte. Je réclame donc tout privilège pour faire ouvrir les battants.

« J'étais, l'année dernière, à Pétersbourg : j'habite ordinairement Paris, et je viens de parcourir les treize cantons dont vous voyez que j'ai pris la franche liberté. Si avec cela vous pouvez trouver en moi quelque chose qui vous dédommage des instants que je vous demande, alors mon plaisir sera sans reproche et deviendra parfait.

« Je ne m'aviserai point, Monsieur, de vous faire des compliments ; vous êtes au-dessus de mes éloges, et vous n'avez pas besoin de mes humilités ; et puisque j'ai trouvé un moyen d'être votre camarade, je me contenterai de vous assurer que vous n'en avez point qui vous soit plus parfaitement dévoué, Monsieur, que Votre très humble et très obéissant serviteur.

Denon. »

Cette lettre est évidemment un chef-d'œuvre, et permet de mesurer à quel point Vivant est devenu « voltairien ». Tout y est : l'insolence philosophique (on vous connaît, vieux singe, on sait qu'une de vos ruses de guerre est de vous faire passer sans cesse pour mourant) ; l'esprit de corps (« gentilhomme ordinaire du roi ») ; la familiarité militaire (« camarade ») ; la pique de curiosité (après tout, je vous apporte peut-être un message indirect de Versailles) ; le rappel de Pétersbourg (donc indiscrétions possibles, de première main, sur l'Impératrice) ; l'insinuation d'une mission dans les treize cantons ; la désinvolture générale (c'est peut-être moi qui ai des choses à vous apprendre) ; l'absence soulignée de flatterie se moquant des différences d'âge et de condition.

Style d'attaque, donc. Voltaire, comme chaque fois qu'un esprit aristocratique de liberté se révèle, est séduit, et répond aussitôt.

« Ferney, le 3 juillet 1775

« Monsieur mon respectable camarade,

« Non seulement je peux être malade, mais je le suis, et depuis environ quatre-vingt-un ans. Mais, mort ou vif, votre lettre me donne un extrême désir de profiter de vos bontés. Je ne dîne point ; je soupe un peu. Je vous attends donc à souper dans ma caverne. Ma nièce, qui vous aurait fait les honneurs, se porte aussi mal que moi : venez avec beaucoup d'indulgence pour nous deux ; je vous attends avec tous les sentiments que vous m'inspirez.

« Votre très humble et très obéissant serviteur

Voltaire. »

Denon a vingt-huit ans, Voltaire quatre-vingt-un. Le vieux philosophe est en pleine gloire, sa dernière affaire est celle du Chevalier de la Barre, qu'il est en train de gagner.

Dans trois ans, à Paris, ce sera l'apothéose, le couronnement sur scène, la réception à la Loge des Neuf Sœurs, les acclamations populaires dans les rues pour saluer « l'homme aux Calas », la surdité de Louis XVI (il aurait fallu à tout prix récupérer Voltaire), la mort dans l'appartement du quai qui portera son nom, et où, comble de logique à travers le temps, Denon finira sa vie, à quelques mètres, au numéro cinq ou neuf.

Étrange, étrange.

Mais voyons la Correspondance de Voltaire pendant l'été 1775. Le 28 juin, il écrit précisément à Catherine de Russie : « Un très bon peintre, nommé Barat, arrive chez moi ; il me trouve écrivant devant votre portrait, il me peint dans cette attitude, et il a l'audace de vouloir mettre cette fantaisie aux pieds de Votre Majesté Impériale. Il l'encadre et la fait partir... Peut-être aurez-vous l'indulgence de faire placer ce tableau dans quelque coin, et vous direz en passant, voilà celui qui m'adore pour moi-même, comme les quiétistes adorent Dieu. Vos sujets sont plus heureux que moi, ils vous adorent et vous voient. »

Importance des *portraits*, images pieuses, et, tout de suite après un compliment outré, retour à la politique : le vice-consul de Russie à Cadix, un Allemand, vient de mourir, il y a un autre Allemand, demeurant à Cadix, qui servirait très bien Votre Majesté.

Voltaire passe ainsi son temps à « placer » des hommes à lui, il en use fréquemment ainsi, comme sur un échiquier.

Le jour même où il répond à Denon, le 3 juillet, c'est au cardinal de Bernis, à Rome, qu'il s'adresse. Il était bien malade, dit-il, quand il a reçu les deux gentilshommes suédois que le cardinal lui a envoyés. Bernis, oui, on ne l'oublie pas. C'est une sorte de Pétrarque, « votre prédécesseur en talents et en grâces ».

Le 6 juillet (après, donc, avoir vu Vivant) il recommande un peintre à Tronchin, un certain Duplessis : « Il semble qu'il ait été formé par Rubens. » Toujours la peinture.

Le 7, de nouveau à Catherine II : cette fois, il s'agit de lui vanter les mérites d'un certain Lefort qui pourrait très bien être son consul à Marseille. Catherine pense peut-être à un traité de commerce avec la France et « les vaisseaux russes peuvent apporter à Marseille, avec un grand avantage, chanvre, fer, bois, potasse, huile de baleine, et rapporter toutes les denrées de Provence ». Les Suédois et les Danois le font, pourquoi pas la marine de Sa Majesté ? Le compliment, cette fois, est le suivant : « J'ignore absolument en quels termes est actuellement votre empire avec le petit pays des Welches qui prétendent toujours être français. Pour moi, j'ai l'honneur d'être un vieux Suisse que vous avez naturalisé votre sujet. »

Contrôle des représentations, contrôle du commerce et des ports : même science de la navigation historique.

Quarante ans plus tard, Vivant dira à Lady Morgan : « La grande Catherine était un sujet perpétuel de querelle entre Voltaire et moi. Il parlait d'elle comme il l'avait décrite, je la représentais comme je l'avais vue, et quand je convenais que c'était une femme qui avait de grandes vues et des manières distinguées, il ne pouvait souffrir que j'ajoute qu'elle avait un esprit fort ordinaire et un cœur dépourvu de sensibilité. »

Cette remarque est capitale : elle indique, de la part de Vivant, un autre rapport à la réalité que celui des philosophes. Ils décrivent sans voir, alors qu'il convient de voir avant de juger. Catherine et Frédéric sont, pour Voltaire, des personnages de Voltaire. Diderot, Voltaire, Rousseau, tous les autres, rêvent, quelles que soient leurs dénégations, d'un pouvoir sur l'ensemble de la société. Curieusement, ce pouvoir, c'est Vivant qui l'aura. Mais lui ne dira rien, pas d'idéologie ou de vision du monde. Rien sur les hommes en général, rien sur la religion. En revanche, un Musée. Il y aura une Majesté Impériale ? Oui, et la plus grande de toutes, puisqu'il s'agira de Napoléon. Cela entraînera une mise en scène et un art officiel ? Sans doute, et c'est inévitable. Mais, pendant ce temps, il y aura le Louvre, c'est-à-dire une autre conception du silence traversant le Temps.

En août 1775, Voltaire écrit à Frédéric : « Nous perdons le goût, mais nous acquérons la pensée... Les prêtres sont au désespoir. Voilà le commencement d'une grande révolution. Cependant on n'ose pas encore se déclarer ouvertement, on mine en secret le vieux palais de l'imposture fondé depuis 1775 années. »

Et, déjà le 29 juillet (toujours le même mois de la même année où a lieu la visite de Vivant) ; encore à Frédéric de Prusse :

« Notre nation commence à se débarbouiller : presque tout notre ministère est composé de philosophes. L'abbé Galiani a soutenu que Rome ne pourrait jamais retrouver un peu de splendeur que quand il y aurait un pape athée. Du moins, il est bien certain qu'un athée, successeur de saint Pierre, vaudrait beaucoup mieux qu'un pape superstitieux. Nous espérons en France que la philosophie qui est auprès du trône sera bientôt dedans ; mais ce n'est qu'une espérance : elle est souvent trompeuse. Il y a tant de gens à soutenir l'erreur et la sottise, il y a tant de dignités et de richesses attachées à ce métier, qu'il est à craindre que les hypocrites ne l'emportent toujours sur les sages... Il faudrait bouleverser la terre entière pour la mettre sous l'emprise de la philosophie. La seule ressource qui reste, c'est d'empêcher que les fanatiques deviennent trop dangereux... »

N'est-ce pas ?

Turgot, l'espoir de Voltaire, sera disgracié en 1776 : ses réformes heurtent trop d'intérêts. L'histoire va suivre son cours, et la solution ne semble pas être qu'un pape athée succède à saint Pierre. La philosophie sur le trône n'est pas, non plus, évidente. Pourquoi vouloir ainsi de l'*homogène* ? Ce qui, au fond, ressemblerait à une Théocratie (la différence étant que Dieu serait celui des Philosophes devenus ainsi, sous le nom de « sages », un nouveau clergé) ? Cette question, on le sait, a fait couler beaucoup de sang, beaucoup d'encre. On peut penser qu'elle a été évoquée au cours du *souper*, entre Vivant et Voltaire, à Ferney. Lorsqu'il arrive, Voltaire dit à Vivant : « Vous voulez donc forcer l'empire des ombres ? » Bien vu.

Combien de temps Vivant est-il resté à Ferney ? Y est-il revenu ? Ce qui est sûr, c'est que tout commence par une idylle, puisque, dès le 5 juillet a lieu l'échange de billets suivants. Denon remercie :

« C'était l'amitié, Monsieur, qui devait me mener au temple de la bienfaisance. Je vous envoie mes passeports, dont mon empressement et votre complaisance ont prévenu les effets. J'ai le cœur plein de vos bontés ; votre gaieté est un phénomène qui ne sort point de mon esprit. Vous m'avez montré que le temps ne peut rien sur l'âme lorsqu'on ne laisse engourdir aucun de ses ressorts. Vous serez éternel, vous resterez toujours parmi nous sans être sujet aux lois de la nature. Vous en avez déjà franchi l'ordre, et, par degrés, votre être a déjà pris cette existence aérienne, l'accoutrement de l'immortalité. Voilà ce que l'on pense lorsque l'on vous a vu ; voilà ce qu'il faut penser pour se consoler de vous quitter.

« La Borde me demande votre portrait, et je regrette bien de ne vous avoir pas demandé, à titre de l'amitié que vous lui accordez, la permission de le faire d'après vous. »

A quoi Voltaire répond immédiatement :

« Je suis, Monsieur, plus édifié de votre jeunesse que vous n'êtes indulgent pour ma décrépitude. Je crois avoir connu tout votre mérite, quoique je n'aie pas eu l'honneur de vous voir aussi longtemps que vous me l'avez fait désirer. Je voudrais pouvoir envoyer à M. de La Borde le portrait qu'il veut bien demander ; mais je n'en ai pas un seul. Le meilleur buste qui ait été fait est celui de la manufacture de porcelaine de Sèvres : j'en fais venir quelques-uns, et je vous en présenterai, si j'étais assez heureux pour vous revoir.

« Je vous prie de conserver vos bontés pour un vieux camarade bien indigne de l'être.

Voltaire. »

Autant la lettre d'introduction de Vivant était insolente (et respectueuse), autant ses remerciements sont hyperboliques (donc insolents). Que Voltaire soit éternel, qu'il ne soit plus soumis aux lois de la nature, qu'il ait désormais une existence purement aérienne, simple « accoutrement de l'immortalité » (belle trouvaille de style), ne l'empêche pas de veiller à son buste. Et voici un peu de la fable du corbeau et du renard, mais le renard n'est pas, cette fois, celui qu'on pense.

Un portrait, donc : voilà le sujet. Un certain culte de la personnalité, dénié mais bien réel. A peine rentré à Paris, Vivant met en circulation des portraits de Voltaire mais surtout un dessin, ou plutôt une aquarelle, qui va être immédiatement popularisée par Née et Masquelier sous forme d'estampe. Il est signé « De Non d'après Nature à Ferney, le 4 juillet 1774. » Le titre ? *Le Déjeuné de Ferney.*

Voltaire est dans son lit, en bonnet de nuit, il tient la main de sa grosse nièce ahurie et satisfaite, Mme Denis (tiens, le prénom de Diderot !). Derrière lui une jeune et charmante servante. C'est le matin, le « déjeuné ». Au-dessus du lit, une gravure évoquant le malheureux Calas. A gauche, deux personnages plus étranges : le père Adam, ce Jésuite avec lequel Voltaire aime s'amuser (il joint les mains comme pour s'émerveiller ou faussement se scandaliser de ce que l'aimable et souriant vieillard profère), et un aristocrate français (sans doute La Borde, qui n'était pas là, mais à qui Vivant a voulu faire plaisir).

Tout cela est bonhomme, enlevé, sympathique, bourgeois en diable. La philosophie est dans un boudoir tranquille. Mais ce personnage aristocratique, installé dans son fauteuil Louis XV, ne ressemble-t-il pas à quelqu'un ? Voyons, cet embonpoint, ce double menton, cette simplicité bon enfant, ce nez *bourbon* ? Mais oui, au fond, c'est Louis XVI.

Rien n'est dit de tel, bien sûr. Mais le roi de France, par allusion, au chevet de Voltaire, comme un médecin ami, on voit la provocation. Le Jésuite en devient, du coup, ambigu. Le trône et l'autel de France sont allés jusqu'à Voltaire, lequel semble ravi de les recevoir. Personne n'a jamais *dit* clairement ce que je viens de dire ? Non, et c'est étrange. Vivant est un virtuose du discours muet indirect.

Bien entendu, il n'envoie pas à Voltaire le « Déjeuné » (qui va devenir vite célèbre, sous le titre du « Déjeuner du philosophe »), mais un médaillon séparé de la tête. Avec la lettre suivante :

« Si je n'ai joui que quelques instants, Monsieur, du bonheur d'être près de vous et de vous entendre, un peu de facilité à saisir la ressemblance a prolongé ma jouissance ; et, m'occupant à retracer vos traits, j'ai arrêté par le souvenir le plaisir qui fuyait avec le temps.

« Les secours d'un artiste habile, ceux d'un ami aussi aimable par ses grâces de l'esprit que par les qualités du cœur, tout a concouru à décorer et à éterniser l'hommage que je voulais vous faire d'un talent que vous venez de me rendre précieux ; je désire qu'il soit auprès de vous l'interprète de la reconnaissance que je conserve des politesses vraiment amicales par lesquelles, pendant mon séjour à Ferney, vous avez voulu absolument me prouver votre confraternité. »

Le ton est singulièrement contourné. Voltaire, qui, bien entendu, est au courant de la distribution de l'estampe satirique (le grand philosophe au lit, entouré de deux paysannes, d'un Jésuite et du sosie du roi de France !), comprend, mais un peu tard, qu'il a eu affaire à un curieux camarade. Une sorte de Voltaire, en somme. Il est furieux. Et répond :

« A Ferney, le 20 décembre 1775.

De ce plaisant Callot vous avez le crayon :
Vos vers sont enchanteurs, mais vos dessins burlesques ;
Dans votre salle d'Apollon
Pourquoi peignez-vous des grotesques ?

« Si je pouvais, Monsieur, mêler des plaintes aux remerciements que je vous dois, je vous supplierais très instamment de ne point laisser courir cette estampe dans le public. Je ne sais pourquoi vous m'avez dessiné en singe estropié, avec une tête penchée et une épaule quatre fois plus haute que l'autre. Fréron et Clément s'égaieront trop sur cette caricature.

« Permettez que je vous envoie, Monsieur, une petite boîte de buis, doublée d'écaille, faite dans un de nos villages. Vous y verrez une posture honnête et décente et une ressemblance parfaite. C'est un grand malheur de chercher l'extraordinaire, et de fuir le naturel, en quelque genre que ce puisse être.

« Je vous demande bien pardon. J'ai dû non seulement vous dire librement ma pensée, mais celle de tous ceux qui ont vu cet ouvrage. Je n'en suis pas moins pénétré, Monsieur, de l'estime sincère et de la reconnaissance que vous doit votre très humble et très obéissant serviteur.

Voltaire. »

C'est la guerre.

Vivant répond le 31 décembre :

« M. Moreau n'a pu me remettre que dans ce moment la lettre et la boîte que vous avez eu la bonté de m'adresser. Je vois avec plaisir le zèle que vos bons villageois mettent à vous plaire ; j'applaudis à leurs efforts, et je reçois la boîte comme un cadeau, qui m'est agréable parce que je la tiens de vous.

« Je suis en vérité désolé de l'impression que vous a faite mon ouvrage. Je ne plaiderai point sa cause : mon but est manqué, puisqu'il ne vous a pas fait le plaisir que je désirais. Mais je dois vous rassurer sur la sensation qu'il fait ici : on le trouve plein d'expression ; chacun se l'arrache, et ceux qui ont l'honneur de vous connaître assurent que c'est ce qui a été fait de plus ressemblant. C'est un grand malheur en peinture, comme en autre chose, de voir les objets autrement qu'ils n'existent. Pardon, Monsieur ; mais j'ai dû non seulement vous faire l'aveu de mon erreur sur ce portrait, mais vous dire naturellement et pour votre tranquillité, tout ce que je savais du succès de cette estampe. »

Traiter Voltaire de vedette villageoise, il faut oser le faire. Voltaire avait écrit : « C'est un grand malheur de chercher l'extraordinaire et de fuir le naturel, en quelque genre que ce puisse être. » La réponse est du tac au tac : « C'est un grand malheur en peinture, comme en autre chose, de voir les objets autrement qu'ils n'existent. »

Le goût de Paris contre celui de Genève ? Il y a de ça. Vous avez tort de rester loin de Paris et de vous faire des idées sur Catherine de Russie et Frédéric de Prusse. On vous aime, vous devriez revenir vers nous (c'est ce qui aura lieu trois ans plus tard, mais la mort n'est pas une solution).

Voltaire, dans cette question d'*image,* donc de pouvoir, va s'enferrer. Qu'on en juge :

« A Ferney, le 24 janvier 1776

« Je suis bien loin, Monsieur, de croire que vous ayez voulu faire une caricature dans le goût des plaisanteries de M. Huber.

« J'ai chez moi actuellement le meilleur sculpteur de Rome, à qui ma famille a montré votre estampe : il a pensé comme pensent tous ceux qui l'ont vue. On l'a prié d'écrire ce qu'il fallait faire pour la corriger : je vous envoie sa décision.

« Il court dans Paris une autre estampe, qu'on appelle mon *Déjeuner*; on dit que c'est encore une plaisanterie de M. Huber. J'avoue que tout cela est assez désagréable. Un homme qui se tiendrait dans l'attitude qu'on me donne, et qui rirait comme on me fait rire, serait trop ridicule.

« Vous m'auriez fait plaisir si vous aviez pu corriger l'ouvrage qui a révolté ici tout le monde; et s'il en était encore temps, ma famille vous aurait beaucoup d'obligation. Je n'en suis pas moins sensible à votre bonté, et je n'en estime pas moins vos talents. Je vous supplie de ne rien imputer à une fausse délicatesse de ma part. Je sais bien que vous m'avez fait beaucoup d'honneur; mais je vous prie de pardonner à mes parents et à mes amis, qui ont cru qu'on avait voulu me tourner en ridicule.

« Je suis honteux de vous fatiguer de nos représentations. Soyez très persuadé du respect et de l'attachement qu'aura toujours pour vous votre vieux confrère.

Voltaire. »

Et voilà : un écrivain ou un philosophe ne devrait pas avoir de famille (ou, du moins, s'arranger pour qu'elle n'intervienne pas dans sa représentation). Le plus drôle, c'est que « le meilleur sculpteur de Rome », qui se trouve alors chez Voltaire pour faire son buste, n'est autre que celui du pape. Nous le savons par une lettre de Mme Gallatin au Landgrave de Hesse-Cassel : « Je trouvai chez lui (Voltaire) le sculpteur du pape qui a été envoyé par (dit-il) des cardinaux pour sculpter notre ami. Il a réussi au mieux et l'emporte sur tout ce que l'on a fait jusqu'à présent. Il donne tout le feu qui est dans sa physionomie, mais il n'en veut laisser qu'un en plâtre, n'ayant pas la permission (*sic*). Nous ne doutons pas qu'il ne soit venu par ordre du pape. »

La décision du sculpteur du pape, pour rectifier la vision de Denon, est la suivante :

« Étant consulté sur cette estampe, je crois que, pour la corriger, il faudra premièrement : mettre le portrait d'ensemble ; moins maniérer la tête ; venir la dessiner d'après nature ; prendre un parti sur l'effet total ; enfin rendre la chose plus pittoresque. Les défauts que je trouve : l'épaule trop haute ; M. de Voltaire n'a pas de dessus d'yeux ; le nez est trop long et le front aussi ; la bouche n'est pas bien parce qu'elle *cercle* trop. »

N'en jetez plus : on se croirait à la Cour. Pire : un jour ou l'autre, il faudra assister au retour périodique de l'*art officiel*. Est-ce inévitable ? Sans doute, et Denon s'en chargera même personnellement auprès de Napoléon tout en continuant, *de l'autre main*, ses estampes ou lithographies des grands peintres du passé, son Louvre et son recueil *Monuments des arts du dessin chez les peuples tant anciens que modernes* (Paris, 1829, posthume, donc).

Dans le genre, cette histoire va loin, et elle est de tous les temps. Un de ses points culminants dans le ridicule, sera, par exemple, le portrait de Staline par Picasso. Denon n'est pas Picasso. Voltaire n'est pas Staline. On va donc vers un *statu quo* :

« Je me reproche bien sincèrement – écrit Vivant, toujours aussi insolent – le chagrin que cette affaire vous a causé ainsi qu'à votre *sensible famille*. J'étais bien loin de penser lorsque je fis ces dessins, qu'ils feraient autant de bruit. Je ne voulais que me retracer les moments que j'avais passés à Ferney, et rendre pour moi seul la scène au naturel, et telle que j'en avais joui : j'occupai même une place dans le groupe qui compose le tableau du déjeuner : mais dès qu'il fut question de graver ce morceau, je me hâtai bien vite d'en exclure mon personnage. »

(Autrement dit : votre famille, cher vieux singe, n'est pas un bon conseil pour la philosophie, et quant à la sensibilité ou à la délicatesse, voyez plutôt celle dont j'ai fait preuve, au contraire de votre passion narcissique, en ne me peignant pas dans le tableau : dites plutôt que vous ne voulez pas qu'on vous voie avec un Français de la nouvelle génération ou que vous postulez pour une universalité faisant trop de crédit aux ennemis de la France, voilà ce qui arrive quand, en famille et entouré de villageois, on se laisse flatter par des Souverains surestimés et l'étroitesse puritaine de Genève).

Vivant continue :

« Je ne réfléchis pas, dans le moment, que tout ce qui tient à vous doit avoir de la célébrité : et je laissai graver sans réflexion ce que j'avais dessiné sans conséquence. Au reste, la plus grande partie de ceux qui se sont procuré cette estampe n'y ont vu que la représentation d'une scène de votre intérieur qui leur a paru intéressante. Je ne connais pas les ouvrages de M. Huber : je n'ai donc voulu imiter personne. Je ne sais quel acharnement on met à vous effrayer sur cette production : si vous la connaissiez, vous verriez que votre figure n'a que l'expression simple que donne une discussion vive et familière. »

Voltaire ne veut pas qu'on montre son visage familier, changeant, grimaçant; son allure en cheveux, en perruque, en foulard, en bonnet de coton et même en bonnet de nuit de femme. Pourquoi ? Quelle importance ? Qui peut vraiment se soucier, aujourd'hui, d'être photographié n'importe comment par n'importe qui dans n'importe quelle position ? Doit-on s'offusquer pour si peu ? Se prendre pour sa propre image ? Est-il automatique de s'identifier avec ce qu'on voit de vous ? Et même avec ce qu'on en dit ? Certes, Voltaire a été persécuté (et Diderot et les Encyclopédistes aussi). Mais est-ce une raison pour vouloir se transformer, par la suite, en objet de culte ? N'y a-t-il pas là une pruderie mal placée (augmentée, cela va sans dire, par les amis et la famille)? N'avoue-t-on pas, ainsi, un rêve de pouvoir qui en dit trop long sur lui-même à cette occasion?

Fin de la lettre de Vivant:

« Eh! Monsieur, pourquoi voir toujours des ennemis? Les triomphes ne servent-ils qu'à multiplier les craintes? Qu'est-ce donc que la gloire si la terreur habite toujours avec elle? Quant aux complaintes et observations de votre artiste romain, quoiqu'elles ne m'aient ni édifié ni convaincu, je veux lui montrer que je ne suis pas moins complaisant que lui, car je tiens si peu à ce que vous appelez mes talents, que je conviendrai de tout ce que vous voudrez qu'il contredise, et serai même plus que lui de l'avis qu'il faudrait que je retourne dessiner votre tête d'après nature. C'est un conseil que je me laisserai toujours donner bien volontiers, par le plaisir qu'il en résulterait pour moi de vous revoir et de travailler plus efficacement à vous convaincre de l'attachement et de la vénération avec laquelle je serai toute ma vie, mon respectable camarade, votre très humble et très obéissant serviteur. »

Ne nous y trompons pas, Vivant aime et admire sincèrement son vieux et sublime camarade. Il perçoit quelque chose d'ennuyeux, voilà tout. Il partage sûrement la position de fond que le philosophe de Ferney écrit un jour à d'Alembert: « Le petit nombre des élus subsistera toujours. Il est probable qu'il ne sera jamais puissant, mais il sera indestructible. » Le problème sera pourtant, on va le voir assez vite, ceux qui se mettent à parler au nom des élus. Non pas les élus eux-mêmes, mais leurs photocopies, leurs doubles. Ils achèteront impudemment des bustes de Voltaire pour leurs cheminées. M. Homais, par exemple, ou Ceaucescu, ou d'autres.

Que *voit* exactement un philosophe ? Très bonne question. A poser et reposer sans cesse à tout clergé, quel qu'il soit.

Cézanne dira, là-dessus, quelque chose de lumineux : les mauvais peintres voient l'arbre, le visage, le chien, mais pas *cet* arbre, *ce* visage, *ce* chien. Ils ne voient rien.

Les lois passent parfois plus rapidement que les phénomènes. Cet arbre n'est pas « un arbre ». C'est *celui-là*. En ce moment.

Tous ces philosophes sont donc très bien, et plutôt Voltaire que Rousseau (il y a cependant des *couleurs* à prendre chez Rousseau), mais il y a en eux un ressort qui fonctionne mal.

Encore un siècle, et on va apprendre que Dieu est mort.

Encore un autre siècle, et il sera clair que la Mort est devenue le seul Dieu.

« Une grande révolution est en marche », prophétise Voltaire, comme si on allait changer de calendrier. En effet. Une grande révolution, oui, mais laquelle ?

Une ruse de la Technique, plutôt.

Et maintenant, à l'heure où j'écris ces lignes ?

Moment de l'insensé, de la nullité virtuelle, de la répétition pour rien, de la rotation pour elle-même.

Moment de l'organisation mondiale de l'illettrisme et de l'amnésie, où les femmes, comme par hasard, sont convoquées pour être l'avenir mécaniquement reproducteur d'un homme qui n'a plus de raison d'exister pour lui-même. Réquisition biologique, orchestration en masse de l'oubli.

Comme le XIXe siècle rêvait du XVIIIe en s'enfonçant dans le tunnel du puritanisme qu'incarnait si bien la reine Victoria, le siècle qui s'annonce pourra se demander ce qui a pu se passer en 68, avant le sida et la grande régression d'ordre moral qui, partout, s'annonce.

J'imagine Vivant en train de réfléchir. Il va avoir trente ans. Oui, ces philosophes sont très bien, mais il est aussi possible que ce soient des naïfs. Des naïfs sexuels. Diderot et Sophie Volland, Rousseau et Mme de Warens, Voltaire et Mme Denis, tout cela finit par être un peu contraint, casanier, *famille*. Il paraît qu'un marquis, Sade, s'énerve déjà beaucoup, et à juste titre, sur cette question. Mais attention, discrétion : il ne s'agit pas d'aller en prison.

Les romanciers retardent, les poètes mentent, les philosophes délirent. Interpréter le monde, le transformer, oui, sans doute. Mais pourquoi ne pas le *jouer* ?

Trop de lumière, pas assez de nuit, peut avoir, un jour, des conséquences criantes : une inflation de Reine de la Nuit, par exemple. C'est ici un musicien, Mozart, qui nous avertit.

On va donc raconter ce qu'est une vraie nuit. Une nuit enchantée, libre. Une nuit pour toutes. Une femme pour toutes.

Oui, c'est ça : une leçon de nuit.

4.

Une leçon de nuit

Trente-cinq pages pour un chef-d'œuvre unique, cela suffit pour intriguer non seulement son temps, mais tous les temps.

Denon, en écrivant et en publiant à travers quelqu'un d'autre *Point de lendemain,* se doutait-il de la faveur et des quiproquos dont ce bref récit ferait, constamment et souterrainement, l'objet? Sans doute pas. Quoi qu'il en soit, lorsque *Point de lendemain,* en juin 1777, paraît à Paris dans *Mélange littéraire ou le Journal des dames* que dirigent Claude-Joseph Dorat et Fanny de Beauharnais, l'auteur masqué se prépare à être déjà loin, en Italie, à Naples.

La version de 1777 est précédée d'un avertissement de Dorat : « La narration de ce conte m'a paru piquante, spirituelle et originale. Le fond d'ailleurs en est vrai, et il est bon, pour l'histoire des mœurs, de faire contraster quelquefois avec les femmes intéressantes dont ce siècle s'honore, celles qui s'y distinguent par l'aisance de leurs principes, la folie de leurs idées et la bizarrerie de leurs caprices. »

Retenons ceci : *le fond est vrai.*

Le conte est signé M.D.G.O.D.R. où l'on a fini (lenteur des historiens!) par déchiffrer Monsieur Denon Gentilhomme Ordinaire Du Roi. Que l'auteur ne signe pas ouvertement de son nom se comprend si l'on admet qu'il a, comme on dit, un devoir pressant de réserve. En 1812, devenu baron d'Empire, Vivant fera éditer, avec ses initiales, un petit nombre d'exemplaires d'une nouvelle version pour ses amis. Balzac, en 1829, recopiera le tout, avec des censures, dans sa *Physiologie du mariage* (en continuant d'attribuer le texte à Dorat). J'avance masqué, disait Descartes ; *larvatus prodeo*. Et Voltaire, donc. Et Stendhal. Pouvoir et Littérature ? Attention, danger.

Le titre, d'abord.

Il ne s'agit pas d'une déclaration dépréciative ou nostalgique, une « aventure sans lendemain » n'étant qu'une péripétie sans importance, une brève rencontre dont on va bientôt perdre le souvenir. Denon ne dit pas : « pas de lendemain », mais « point ».

Point, en français, a été une négation courante, mais c'est aussi, et surtout, une affirmation. Je mets un point final à cette affaire. J'ai écrit ce que j'ai écrit, point. Savoir ponctuer montre qu'on sait exactement ce qu'on exprime, ni plus ni moins. Il a sans doute fallu l'expansion des mathématiques pour que le premier sens de *point*, négatif (« je ne vous entends point »), vieillisse et soit abandonné. Cependant, la langue est tournée de telle façon qu'elle se rappelle à nous de manière toujours nouvelle. Un point de lendemain peut être ainsi considéré comme la plus petite unité de lendemain possible, surtout si nous nous souvenons du verbe poindre qui éclaire l'expression : point du jour. Par ailleurs (un point c'est tout), il est à chaque instant possible de faire le point. On arrive à point nommé à condition d'être parti à point. Le point est un endroit fixe, déterminé : point de rencontre. C'est aussi une piqûre que l'on fait avec une aiguille enfilée de fil, de soie ou de laine.

C'est une question particulière : « N'insistez pas sur ce point. » Dans un jeu, c'est le nombre que l'on marque à chaque coup. En musique, point important, le point est le signe placé à droite d'une note ou d'un silence pour augmenter de moitié la durée de cette note ou de ce silence.

En mathématiques, le point est une figure géométrique sans dimension. Je peux le définir comme l'intersection de deux lignes. De là, les plans, les volumes. Je peux dire « en tout point », pour entièrement ; « au dernier point », pour extrêmement ; « de point en point », pour exactement ; « à point », pour à propos ; « au point », pour prêt à fonctionner.

Il m'arrive d'être mal en point, mais je marque un point, je prends un point d'appui, j'ai un point d'attache. Je connais les points cardinaux. Je m'attends, bien entendu, à rencontrer des points chauds, un point de côté, un point faible, un point sensible, mais pas forcément un point mort. Il vaut mieux que mes points de contact soient changeants. Je suis sur le point de comprendre : ce sera notre point de chute, notre point d'accord ou de désaccord, notre point d'interrogation, de suspension ou d'exclamation, bref notre point d'orgue.

Denon, en signant M.D.G.O.D.R. (il y tient, à son titre), signe, également, de six points. Impossible de ne pas penser ici aux trois points de la signature maçonnique qui apparaîtront, dans l'administration et de façon très visible, sous l'Empire. Mais le point a aussi une signification divine. C'est le point de Pascal, se mouvant avec une vitesse infinie, et pouvant se présenter à l'imagination comme une sphère dont le centre est partout et la circonférence nulle part (ou encore dont la circonférence est partout et le centre nulle part). Une vitesse infinie paraît immobile. Rien de plus lent qu'une rapidité extrême, et on peut le vérifier immédiatement en sachant que la terre, là, en ce moment, tourne sur elle-même à l'allure de 27 000 kilomètres par seconde. La vitesse nous *donne* la lenteur. Seul un esprit très rapide peut savourer la lenteur.

Pourrait-on imaginer un livre qui soit à la fois un excès de vitesse et un calme extrême, un livre sans ponctuation visible, sans un seul point ? C'est possible. Enfin, rapprochons notre caméra, procédons à la mise au point.

En réalité, j'avance une proposition qu'on ne lit jamais nulle part (comme c'est étrange) : *Point de lendemain*, récit réputé libertin, est aussi un conte métaphysique. D'autant plus métaphysique qu'il est libertin. D'autant plus libertin qu'il est métaphysique. Les cléricaux des deux bords, qui veulent absolument séparer ces deux registres (les uns par pruderie, les autres par grossièreté), se retrouvent, ici, *à côté*.

Vraiment ? Mais oui. Au point que, dans l'édition de 1812, la plus ramassée, la plus contrôlée, Vivant n'hésite pas à mettre les points sur les i. En général, personne ne fait attention à l'exergue, ironique sans doute, mais très explicite : « La lettre tue, et l'esprit vivifie. »

De qui est cette formule célèbre ? D'un saint. Et Denon nous le signifie par ces lettres : E.D.S.P.

Ce qui doit se lire : Épître De Saint Paul.

En effet : nous sommes là dans l'épître de saint Paul aux Corinthiens, II, 3-6.

Mes chers Corinthiens, *Point de lendemain* est une bonne nouvelle. Au premier abord, elle n'a rien d'évangélique, mais allez savoir.

Supposons un personnage qui s'appellerait Lendemain. Il est noble. Son prénom, bizarre, est Point. Point de Lendemain.

C'est une sorte d'apôtre qui, comme saint Paul, vous dit : « Vous êtes manifestement une lettre remise à nos soins, écrite, non avec de l'encre, mais avec l'Esprit... Non sur des tables de pierre, mais sur des tables de chair, sur les cœurs. »

Je m'amuse, je m'égare ? Pas sûr. Si l'héroïne de *Point de lendemain* s'appelle Mme de T..., je ne suis pas obligé de révéler son identité. Mme de T... ? Avec deux T ? Comme Marie-Antoinette ? Pourquoi pas ? Enfin, voilà une nuit qui durera toujours puisqu'elle n'a point de lendemain. Même chose pour ce texte. Grâce à elle, à lui, tout ira désormais plus vite : il n'y aura pas de lent demain. Dieu nous préserve de la lourdeur, de la pesanteur, de la mauvaise lenteur !

Nous sommes encore prévenus de ceci : l'auteur n'a aucune raison, à l'avenir, d'écrire un récit du même genre (c'est la situation d'*Une saison en enfer*). Il dit, en une fois, tout ce qu'il y a à dire. Il se désintéresse de toute carrière « littéraire ». Le sujet est épuisé.

Lequel ?

Les hommes, les femmes, leur intrigue permanente, leurs rencontres abusées, leurs rôles parallèles et contradictoires, l'absence de morale de cette circulation (et pour cause). Bref, des océans de littérature.

Beaucoup d'appelés, peu d'élus. C'est une histoire d'élection, de grâce, de gratuité. Du moins en apparence, puisque nous ne savons pas tout.

Denon va nous montrer qu'on ne s'intéresse à ces choses, et ne reste manipulable à travers elles, que lorsqu'on est débutant, mari ou amant aveugle (cela fait déjà beaucoup de monde). C'est le destin des hommes rentrant sous la domination magnétique et comploteuse des femmes, elles-mêmes déterminées par le faufilage social.

Parmi les hommes, il y a ceux, peu nombreux, qui sont admis au secret, et les autres.

Injustice ? Justice sous-jacente ? C'est ainsi.

Voyons. Et n'oublions pas que la lettre tue, et que l'esprit vivifie.

« J'aimais éperdument la comtesse de... ; j'avais vingt ans, et j'étais ingénu ; elle me trompa, je me fâchai, elle me quitta. J'étais ingénu, je la regrettai ; j'avais vingt ans, elle me pardonna ; et comme j'avais vingt ans, que j'étais ingénu, toujours trompé, mais plus quitté, je me croyais l'amant le mieux aimé, partant le plus heureux des hommes. Elle était amie de Mme de T..., qui semblait avoir quelques projets sur ma personne, mais sans que sa dignité fût compromise. Comme on le verra, Mme de T... avait des principes de décence auxquels elle était scrupuleusement attachée.

« Un jour que j'allais attendre la comtesse dans sa loge, je m'entends appeler de la loge voisine. N'était-ce pas encore la décente Mme de T... ?

« – Quoi ! déjà ? me dit-on. Quel désœuvrement ! Venez donc près de moi.

« J'étais loin de m'attendre à tout ce que cette rencontre allait avoir de romanesque et d'extraordinaire. On va vite avec l'imagination des femmes ; et dans ce moment celle de Mme de T... fut singulièrement inspirée. »

Remarquons tout de suite que Vivant prend sa revanche. Il a échoué au théâtre à vingt ans ? Mais non, il a pris en réalité la salle, les loges et le vrai théâtre en coulisses. Sa première constatation est la suivante : « On va vite avec l'imagination des femmes. » C'est donc bien une histoire de vitesse, comme le rythme saccadé des phrases, en ouverture, nous le fait entendre.

Ici, un doute peut venir immédiatement à l'esprit du lecteur. Ce « retard » de la comtesse n'est-il pas voulu ? Autrement dit : ne se sont-elles pas mises, explicitement ou tacitement, d'accord pour cet enlèvement de jeune homme ? C'est une possibilité, mais le narrateur ne la formule jamais.

Mme de T..., donc, drague Vivant. « Il faut que je vous sauve du ridicule d'une pareille solitude ; puisque vous voilà, il faut... L'idée est excellente. Il semble qu'une main divine vous ait conduit jusqu'ici. »

Ici, l'opéra commence. A la fin du premier acte, la comtesse n'est toujours pas là.

La première version, celle de 1777, est sensiblement différente. La comtesse « me prit sans m'aimer », dit le narrateur. Il n'est question ni de son ingénuité ni de son âge. Le ton est plus froid, cynique : « Je l'aimais alors (la comtesse), et pour me venger mieux, j'eus le caprice de la *ravoir*, quand, à mon tour, je ne l'aimai plus. J'y réussis, et lui tournai la tête : c'est ce que je demandais. »

Mme de T..., en 1777, est loin d'être ce qu'elle est devenue en 1812. Elle est beaucoup plus déclarative et même vulgaire : « Elle me lorgnait depuis quelque temps, et semblait avoir de grands desseins sur ma personne. Elle y mettait de la suite, se trouvait partout où j'étais, et menaçait de m'aimer à la folie, sans cependant que cela prît sur sa dignité et sur son goût pour les décences ; car, comme on le verra, elle y était scrupuleusement attachée. »

Le ton de libertinage forcé de cette première version était-il dû aux conseils et aux soucis commerciaux de Dorat ? C'est possible. En 1812, Mme de T..., devenue simplement « la décente Mme de T... », produit un effet

érotique autrement puissant. Réécrite, l'ouverture ryth-
mée en cascade a une autre force. Surtout, la situation de
fond a changé : la comtesse n'a pas la « tête tournée » par
un libertin qui se venge, mais elle continue de tromper un
jeune amant qui, ingénu, ne demande qu'à ne pas le
savoir. Mme de T... ne « lorgne » plus. Elle n'a plus de
« grands desseins » mais « quelques projets ». Elle se garde
bien de dire, plus tard, des phrases trop claires : « je vous
enlève », « laissez-vous conduire », « abandonnez-vous à
la Providence ». Elle se contente de : « Point de question,
point de résistance... Appelez mes gens. Vous êtes charmant. »

La version de 1777 comportait encore des fausses notes.
Mme de T... disait : « Vous êtes un homme *unique, délicieux.* »

« Vous êtes charmant » : cela suffit amplement. Et hop,
en voiture.

Notre jeune héros est donc embarqué comme nous, en
vitesse. « Je suis déjà hors de la ville avant d'avoir pu
m'informer de ce qu'on voulait faire de moi. » Et encore :
« Chaque fois que je hasardais une question, on me répondait par un éclat de rire. » Voilà, on court, on change de
chevaux : « Nous repartîmes comme l'éclair. »

Mme de T... prétend se servir de Vivant pour sa scène
de réconciliation avec son mari. Elle ne veut pas rester en
tête à tête avec ce dernier, et, bien qu'elle ait un amant
officiel, préfère se servir du débutant de vingt ans comme
couverture prétendument innocente. Elle l'emmène donc
dans son château. Vivant, devant le rôle peu flatteur qui a
l'air d'être le sien, réagit avec humeur : elle le traite, dit-il,
comme s'il était « sans conséquence ». Mais Mme de T... :
« Ah ! point de morale, je vous en conjure ; vous manquez

l'objet de votre emploi. Il faut m'amuser, me distraire, et non me prêcher. »

Réflexion du narrateur emporté dans ce tourbillon : « Je la vis si décidée que je pris le parti de l'être autant qu'elle. Je me mis à rire de mon personnage, et nous devînmes très gais. »

Voilà donc l'Ouverture de cet enlèvement au sérail. Maintenant, les airs.

La voiture roule vivement, on a déjà changé deux fois de chevaux, notre cavalier et sa rapteuse entrent donc dans la nuit qui est le grand personnage du récit : « Le flambeau mystérieux de la nuit éclairait un ciel pur et répandait un demi-jour très voluptueux. » On ne dit pas « la lune », bien sûr.

La vitesse se répercute à l'intérieur par des mouvements qui rapprochent les corps. Un choc plus prononcé, et elle lui prend la main, elle se retrouve entre ses bras, c'est le hasard, évidemment, que serait-ce d'autre ? Il se trouble, elle le repousse. Elle entre dans « une rêverie assez profonde ». Il n'est pas question d'admettre qu'on ira plus loin, il faut même affirmer le contraire pour mieux faire entendre le contraire de ce qu'on dit. L'érotisme est une question de phrases et surtout d'antiphrases. Tout le monde ne sait pas s'exprimer à l'envers du discours. Nous sommes bien d'accord ? Nous commençons à parler de l'autre côté ? La leçon de musique physique commence.

Ils arrivent au château. « Tout était éclairé, tout annonçait la joie. » Seul le mari fait la tête. Son physique à lui est « éteint », c'est un libertin fatigué qui se contente « d'images » (d'où le luxe, nous sommes tout de suite dans un « temple »). Le narrateur, lui, rêve à son personnage « passé, présent, à venir ». Mme de T..., cela va de soi, est déjà comparée à une « déesse ».

Ils dînent, le mari a des phrases de mari (est-ce son naturel? est-ce un rôle?), Mme de T... (toujours les trois points) se contente de quatre « ah! ah! ». Après quoi le mari se retire, et les deux acteurs passent sur la terrasse. « La nuit était superbe; elle laissait entrevoir les objets. »

« Le château ainsi que les jardins, appuyés contre une montagne, descendaient en terrasse jusque sur les rives de la Seine, et ses sinuosités multipliées formaient de petites îles agrestes et pittoresques, qui variaient les tableaux et augmentaient le charme de ces beaux lieux. » Notre couple de Watteau ou de Fragonard se trouve d'abord sous des arbres *épais*.

Ils se promènent. Mme de T... attaque, de façon classique, sur les *confidences*. « Les confidences s'attirent, j'en faisais à mon tour, elles devenaient toujours plus intimes et plus intéressantes. » Nous entrons ici dans la négociation de base : je trahis, tu trahis, encore un peu, non, davantage, attention, non, pas jusque-là. Le plus important est d'arriver à un rapprochement dans l'espace qui a l'air de s'être effectué tout seul : « Elle m'avait d'abord donné son bras, ensuite ce bras s'était entrelacé, je ne sais comment, tandis que le mien la soulevait et l'empêchait presque de poser à terre. L'attitude était agréable, mais fatigante à la longue, et nous avions encore bien des choses à nous dire. » Ironie.

Voici le banc de gazon. Ici, nouvelle action par antiphrases. On est bons amis, la confiance est quelque chose de précieux, on va rester comme ça et, pour bien le prouver, vous devriez m'embrasser (dit le narrateur). D'accord (dit Mme de T...), vous voyez bien que je n'ai pas peur de vous. Le baiser comme exhibition de la maîtrise de soi, donc.

Mais voilà : « Il en est des baisers comme des confidences : ils s'attirent, ils s'accélèrent, ils s'échauffent les uns par les autres. » Les baisers finissent par *remplacer* la conversation et s'entrecouper de soupirs. Ici, la scène bascule et souligne le grand art du récit : « Le silence survint, on l'entendit (car on entend quelquefois le silence); il effraya. Nous nous levâmes sans mot dire et recommençâmes à marcher. »

Le lecteur (ou la lectrice) n'a lu que huit pages, il est passé d'une soirée à l'Opéra à une voiture lancée dans la nuit, il sait que, déjà, beaucoup de choses ont été dites (lesquelles, aucune importance, c'est de l'échauffement). Il a imaginé sans peine (du moins, on l'espère) la montée d'excitation des baisers, et le voilà devant une formule qui mérite de définir le désir en soi : « On entend quelquefois le silence. »

A ce moment de l'action, les deux acteurs sont obligés de faire semblant d'en rester là et de rentrer au château, mais ils n'en ont envie ni l'un ni l'autre. Que faire pour relancer l'aventure ? Cette relance, c'est Mme de T..., bien entendu, qui va l'inventer puisque c'est elle qui décide de la mise en scène. Elle va d'ailleurs, selon moi, donner ici la clé principale et cachée du récit. La voici : « Vous ne m'avez pas dit un mot de la comtesse. »

La voilà enfin, la comtesse. Désormais, tous les chanteurs sont convoqués : nos deux solistes, le mari, l'amant de Mme de T..., la comtesse. Parfait quintette. Personnellement, aujourd'hui, au lieu de trois hommes et deux femmes, je disposerais, pour en savoir plus, deux hommes et trois femmes. Mais n'anticipons pas.

Mme de T... veut entendre son jeune amant à venir

(c'est-à-dire dans l'heure qui va suivre) lui parler de sa maîtresse. Évidemment. C'est cela qui l'intéresse, et elle le dit. Elle ne parlera pas, elle, de son amant, le marquis (c'est lui, au contraire qui dira sur Mme de T..., le lendemain, une énormité dont nous ne saurons jamais si elle est vraie ou fausse, le problème n'étant, de toute façon, pas là).

Attaque en piqué : au cas où Vivant aurait encore quelques illusions, Mme de T... les lui enlève : « Je sais sur votre compte tout ce que l'on peut savoir. La comtesse est moins mystérieuse que vous. »

Bien joué. Électro-choc. « Tout ce qu'on peut savoir » ! Vraiment ? En détails ?

Mme de T... se présente ainsi (la promenade vient de reprendre) comme plus préoccupée du « bonheur » du narrateur que son amie intime. Mme de T... se fait *maternelle* (effet érotique sûr). Voici donc le portrait d'une femme par une autre (mais c'est peut-être un auto-portrait ? ou bien celui des femmes du XVIIIe siècle et de tous les siècles ?) : « Les femmes de son espèce sont prodigues des secrets de leurs adorateurs, surtout lorsqu'une tournure discrète comme la vôtre pourrait leur dérober leurs triomphes. Je suis loin de l'accuser de coquetterie ; mais une prude n'a pas moins de vanité qu'une coquette. Parlez-moi franchement : n'êtes-vous pas souvent la victime de cet étrange caractère ? Parlez, parlez. »

Impossible de ne pas comprendre : Mme de T... est en train de s'exciter sur la comtesse. C'est elle qui continue de parler, « et toujours de la comtesse ». Le narrateur a cette remarque subtile : « Mon silence paraissait confirmer tout ce qu'il lui plaisait d'en dire. »

Et voici le portrait de la comtesse par Mme de T... :
« Comme elle est fine ! Qu'elle a de grâces ! Une perfi-

die dans sa bouche prend l'air d'une saillie ; une infidélité paraît un effort de raison, un sacrifice à la décence. Point d'abandon ; toujours aimable ; rarement tendre, et jamais vraie ; galante par caractère, prude par système, vive, prudente, adroite, étourdie, sensible, savante, coquette, et philosophe : c'est un Protée pour les formes, c'est une grâce pour les manières : elle attire, elle échappe. Combien je lui ai vu jouer de rôles ! Entre nous, que de dupes l'environnent ! Comme elle s'est moquée du baron...! Que de tours elle a faits au marquis ! »

(Tiens, tiens, le marquis ? L'amant de Mme de T...?)

« Ah ! qu'une femme adroite a d'empire sur vous ! et qu'elle est heureuse lorsqu'à ce jeu-là elle affecte tout et n'y met rien du sien ! »

Encore remarquablement joué. Laclos, en créant la marquise de Merteuil, s'est-il souvenu de *Point de lendemain* ? Bien sûr.

Le narrateur est donc dans le piège, il en est conscient. « Nous enfilions la grande route du sentiment, et la reprenions de si haut, qu'il était impossible d'entrevoir le terme du voyage. » Il est déstabilisé, humilié, consolé. Il croit être passé de la fausseté de la comtesse à « l'être sensible » (Mme de T...). Et elle ? On voit qu'elle admire son amie intime, qu'elle veut s'en venger, qu'elle s'assure que cela va pouvoir se passer sans indiscrétion ni danger. Mme de T... se prépare un maximum de jouissance : être elle-même *et* la comtesse, éprouver ce qu'éprouve la comtesse *plus* ce qu'elle éprouvera elle-même. Non pas pour lui « prendre » socialement un amant, mais pour le lui *prendre* vraiment : en acte.

Mme de T... s'est mise en condition. Un mâle châtié, une femme détournée à son profit. Et voici le *pavillon* « qui a été le témoin des plus doux moments ». Dommage de ne pas en avoir la clef. Ah, mais il est ouvert : « C'était un sanctuaire, et c'était celui de l'amour. »

Le carrosse, le banc de gazon, le pavillon. Il y aura ensuite le *cabinet*.

Dans le pavillon, action amoureuse, mais pas encore jusqu'au bout, il faut que l'excitation monte encore. Mme de T... propose donc de ressortir et a cette exclamation tout de même très étrange : « Comme tu sais aimer ! Qu'elle est heureuse ! »

« Qui donc ? m'écriai-je avec étonnement. Ah ! si je dispense le bonheur, à quel être dans la nature pouvez-vous porter envie ? »

Voilà ce que répond le narrateur. Sa réaction est touchante. Ce cri du cœur : « Qu'elle est heureuse ! » devrait pourtant l'alerter. De qui s'agit-il ? De la comtesse ? Oui, évidemment. Mais pas seulement. Elle, c'est Elle. Mme de T... vient de rejoindre le continent de l'Elle. Pour une femme, ce n'est pas si simple. Mme de T... vient de se permettre d'être Elle. En s'ajoutant une *elle*. Une femme avec deux *elles*, c'est mieux. Merci, cher Monsieur.

On imagine mal un homme sortant des bras d'une femme et s'écriant : « Qu'il est heureux ! » Un homme ne fait pas deux de la même manière. Ni un non plus.

Un homme entre deux femmes ? Enfer, s'il s'agit de lendemain. Sinon, secret profond et interruption du manège. L'organisation sociale traditionnelle organise la circulation et l'échange des femmes entre hommes. Toute la Métaphysique est construite sur cette économie. Le pape vient de demander pardon aux femmes pour les exactions commises contre elles au nom de l'Église ? Mais c'est la métaphysique tout entière qui devrait, là, sinon s'excuser, du moins se dissoudre. Comme le dit Nietzsche dans *Par-delà le bien et le mal* : « A supposer que la vérité soit femme, n'aurait-on pas lieu de soupçonner que les philosophes, dans la mesure où ils ont été des bâtisseurs de systèmes, n'ont rien compris aux femmes ? Et que le sérieux effroyable, l'insistance maladroite qu'ils ont apportés jusqu'à ce jour à la poursuite de la vérité étaient des procédés malhabiles et malséants pour circonvenir une femme ? Ce qui est sûr c'est qu'elle ne s'y est jamais laissé prendre, et les systèmes de haut genre se présentent aujourd'hui piteux et déconfits, si même on peut dire qu'ils soient encore présentables. »

De ce point de vue, on peut dire que la comtesse utilise la métaphysique, et que Mme de T... la déborde. Les hommes s'aiment entre eux à travers les femmes, à condition de ne pas en être conscients. Les femmes peuvent, par exception, s'aimer entre elles à travers un homme, à condition que cette interruption ou ce court-circuit soit enveloppé de nuit.

La comtesse a-t-elle laissé filtrer un éloge particulier de son jeune amant, pourtant trompé, en direction de son amie intime ? Chut, les hommes ne doivent pas être mis au courant que les femmes sont beaucoup moins embarrassées qu'eux dans leurs jugements ou leurs sous-entendus. « La comtesse est moins mystérieuse que vous. »

Elle : l'éternel féminin ? Le féminin se voulant ou se croyant éternel ? Il s'agit d'une religion, n'en doutons pas. Dans *La Physiologie du mariage*, où il recopie *Point de lendemain*, Balzac n'hésite pas à écrire : « Il existe un lien secret entre elles, comme entre tous les prêtres d'une même religion. Elles se haïssent, mais elles se protègent. »

C'est comme réflexion d'un aventurier, parvenu au

cœur de cette religion, que le récit de notre cavalier fait date.

« Je prie le lecteur de se souvenir que j'ai vingt ans », reprend Denon après la scène du pavillon, comme s'il voulait dire que, pour ces choses, le lecteur ou la lectrice aura toujours vingt ans. C'est probable.

Mais Mme de T..., maintenant, se présente sous un nouveau jour, ou plutôt sous une nouvelle ombre. Elle est brusquement devenue *philosophe*. « On osa même plaisanter sur les plaisirs de l'amour, les analyser, en séparer le moral, le réduire au simple, et prouver que les faveurs n'étaient que du plaisir ; qu'il n'y avait d'engagements (philosophiquement parlant) que ceux que l'on contracte avec le public, en lui laissant pénétrer nos secrets, et en commettant avec lui quelques indiscrétions. »

Eh bien, la douce, sensible, décente et entreprenante Mme de T... est ici à découvert : « Si des raisons, je le suppose, nous forçaient à nous séparer demain, notre bonheur, *ignoré de toute la nature* (c'est moi qui souligne), ne nous laisserait aucun lien à dénouer. »

Autrement dit, et plus crûment encore, « nous avons eu du plaisir, sans toutes les lenteurs, le tracas et la tyrannie des procédés ».

C'est comme si elle disait : « La lettre tue, et l'esprit vivifie. »

Nous pouvons donc écrire en lettres de feu : les ennemis du plaisir sont les lenteurs, les tracas, la tyrannie des procédés. Pour chaque époque, on peut les énumérer. Les ennemis du plaisir s'emploient à ralentir, à tracasser, à tyranniser par la multiplication des procédés (la version de 1777 dit : « les procédés d'usage »).

Le narrateur est emporté par la hardiesse de ces principes, il les trouve sublimes. « Je me sentais déjà une disposition très prochaine à l'amour de la liberté. »

Encore une fois, cela doit être entendu sur fond de Mozart. *Viva la liberta*. C'est ce qu'on appellera, malgré tout, l'exception française.

La liberté : voilà le sujet.

Il est grave, léger, capital, ce sujet, nous sommes à la fois avant et après la Révolution, on va commettre ou on a commis beaucoup de crimes au nom de la liberté, comme l'a dit Manon Roland, la muse des Girondins, en montant à la guillotine. Vivant en sait quelque chose puisqu'il rentrera de Venise à Paris en pleine Terreur à la fin de 1793. Quand il corrige son texte en 1812, il ne peut pas ne pas revoir ce qu'il a vu. Que sont devenus les personnages de son récit ? La comtesse, Mme de T..., le banc de gazon, le pavillon ?

La liberté ou la mort ? Non : la liberté *contre* la mort. La liberté de la nuit.

On remarquera que les deux seules allusions littéraires directes, dans le passage du pavillon, sont des hommages discrets à Montesquieu et à La Fontaine. C'est dire les préférences de Vivant. Elles sont aussi bien musicales que philosophiques. Nous les comprenons.

Désormais, les enchères montent, nous allons vers le *cabinet*. Ici, le mari entre indirectement en scène. Mme de T... prend soin, en effet, de préciser que ce cabinet qui « tient à son appartement » a été conçu avant son mariage et n'a servi qu'à échauffer l'imagination de son mari assez froid pour ne pas la désirer vraiment. Aussitôt, le narrateur prend la balle au bond, et parle de vengeance. Il veut réparer cette scandaleuse indifférence conjugale.

Après la comtesse, le mari (et aussi l'amant, de façon non dite) sert donc de cible.

Là encore, ironie du narrateur : « Il faut l'avouer, je ne sentais pas toute la ferveur, toute la dévotion qu'il fallait pour visiter ce nouveau temple ; mais j'avais beaucoup de curiosité. Ce n'était plus Mme de T... que je désirais, c'était le cabinet. » On va vous le montrer, c'est entendu, mais promettez d'être sage.

Décidément, ce château est enchanté, les corridors sont obscurs, c'est un « dédale ». Il y a des portes secrètes, rêve de toute enfance, dont l'une « fabriquée dans un lambris de la boiserie ». Les contes de Perrault nous accompagnent, c'est l'envers de Barbe-Bleue. Le narrateur se voit transformé en femme de chambre : « On accepta mes services, on se débarrassa de tout ornement superflu. Un simple ruban retenait tous les cheveux, qui s'échappaient en boucles flottantes ; on y ajouta seulement une rose que j'avais cueillie dans le jardin, et que je tenais encore par distraction : une robe ouverte remplaça tous les autres ajustements. »

Nous en venons donc au grand rite. « Souvenez-vous, dit Mme de T... gravement, que vous serez censé n'avoir jamais vu, ni même soupçonné l'asile où vous allez être introduit. »

Oui, c'est cela, sortons du temps, entrons dans l'espace du secret se refermant sur lui-même. Le cabinet est dans le château, mais, en réalité, il l'englobe. Il n'est situable « nulle part ». Ou plutôt, *ici* est le lieu, ailleurs n'est nulle part.

« Mon cœur palpitait comme celui d'un jeune prosélyte que l'on éprouve avant la célébration des grands mystères. »

Juste avant, en voix off, nous avons ce qu'on peut appeler la grande profession de foi de Vivant, la devise et la règle de toute sa vie : « La discrétion est la première des vertus ; on lui doit bien des instants de bonheur. »

Nous sommes sur le seuil.

Dernière question, pour l'effet : « Mais votre comtesse... », me dit-elle en s'arrêtant.

« J'allais répliquer ; les portes s'ouvrirent : l'admiration intercepta ma réponse. »

Quelle aurait été cette réponse ? « Au diable la comtesse » ? Chut.

« Je fus étonné, ravi, je ne sais plus ce que je devins, et je commençai de bonne foi à croire à l'enchantement. »

Important : « La porte se referma, et je ne distinguai plus par où j'étais entré. »

La nature bascule, touché par un coup de baguette magique, le décor devient hyper XVIIIe : bosquet aérien, cage de glaces, lueur émanant des objets, cassolettes de parfums, chiffres et trophées, portiques en treillages ornés de fleurs, statue de l'Amour distribuant des couronnes, flamme devant un autel, tapis imitant le gazon, génies et guirlandes au plafond, et enfin, enfin, grotte sombre devant laquelle veille le « dieu du mystère ».

Il y a aussi un dais sous lequel s'accumulent « une grande quantité de carreaux » et un baldaquin sur lequel la « reine de ces lieux » va se jeter.

« Je tombai à ses pieds ; elle se pencha vers moi, elle me tendit les bras, et dans l'instant, grâce à ce groupe répété dans tous ses aspects, je vis cette île toute peuplée d'amants heureux. »

Denon n'oublie pas qu'il doit chaque fois donner la formule philosophique qui correspond aux situations. Celle-ci est simple : « Les désirs se reproduisent par leurs images. »

Nous ne sommes pas deux, heureusement, mais une multitude de *mêmes*.

De là, on passe à la *grotte*, où un ressort fait tomber les amants « mollement renversés sur un monceau de coussins ».

Action.

Mme de T... prend ensuite une couronne qu'elle pose sur la tête de son partenaire, et, « soulevant ses beaux yeux humides de volupté », dit, cette fois, cette phrase stupéfiante : « Eh bien ! aimerez-vous jamais la comtesse autant que moi ? »

On a envie de répliquer à la place du narrateur : *voilà ce qu'il fallait démontrer*. Mais, bien entendu, il ne répond pas, ce serait une faute de goût, que le récit lui évite.

Une servante, en effet, vient d'entrer et dit : « Sortez bien vite, il fait grand jour, on entend déjà du bruit dans le château. »

Tout s'évanouit, comme un rêve. Vivant se retrouve dans les corridors, il ne sait pas où se trouve sa chambre. Il descend dans le jardin.

Là, dans la réalité « naïve » (et, bientôt, faussement compliquée, c'est-à-dire sociale), il tente de réfléchir. Les rôles ont été renversés, rien ne s'est passé selon le livret habituel, *que faire* de ce qui a eu lieu ? La réponse, on s'en doute est : *rien*. Rien, sauf, précisément, un jour, écrire cette histoire.

Et voici, dans le jardin, l'arrivée du marquis, pas du tout étonné de rencontrer son jeune ami. Le marquis était donc au courant de cette aventure ? Mais oui. Jusqu'où ? Il croit que Vivant a juste servi de « couverture ». N'empêche, tout cela était donc du théâtre. Du théâtre pour qui ? Pour le mari. Pauvre mari ! A moins de le supposer au courant lui aussi (et, par exemple, comble de perversité, mais chose courante à l'époque, voyeur de la scène, ou plutôt *entendeur*), on ne peut pas dire qu'il ait la partie facile.

Le comique fait donc ici son apparition, et on s'y adapte aussitôt : « Je sentis dans l'instant mon nouveau rôle. Chaque mot était en situation. »

Comment Mme de T... a-t-elle omis de prévenir Vivant que le marquis arriverait très tôt, le lendemain matin au château ? Ce n'est pas gentil de sa part. Il faut dire, ajoute avec une compassion méprisante le marquis, que, comme doublure, tu n'avais pas le beau rôle.

A quoi le narrateur répond cet aphorisme de fond : « Il n'y a pas de mauvais rôles pour de bons acteurs. »

Bon, pour l'instant, les vraies dupes sont le mari et l'amant.

Mais, au fait, que pense le figurant Vivant de Mme de T... ? « Sublime, elle a tous les genres. » (Le plus bel éloge qu'on puisse faire d'une femme.)

Ici, le marquis, qui n'entend pas l'ironie, fait intensément l'apologie de son tour de force : avoir obtenu, selon lui, de Mme de T..., une parfaite *fidélité*.

Nous sommes soudain chez Molière.

Le marquis, amant officiel, tout en continuant à faire des compliments de Mme de T..., lui trouve cependant un défaut, mais rédhibitoire. Il lui manque une « flamme divine ». « Elle fait tout naître, tout sentir, et elle n'éprouve rien : c'est un marbre. »

De deux choses l'une : ou le marquis est ridicule, ou Vivant, abusé par des apparences et une jouissance simulée de la part de Mme de T..., est naïf.

Vivant parie sur la sensation vraie de Mme de T... et traite aussitôt l'amant de *mari*. Amant et mari sont aussi aveugles l'un que l'autre. La question, pourtant, n'est pas mince puisqu'elle porte sur ce que nous appellerions aujourd'hui, la « frigidité » de Mme de T...

A-t-elle feint ? Sa jouissance à elle n'a-t-elle été qu'un écho voluptueux de celle de son partenaire ? Ou, au contraire Mme de T..., en cette occasion, a-t-elle cessé d'être « de marbre » ? Pourquoi pas tout cela à la fois ?

D'ailleurs, qui nous dit que le *cabinet* n'a pas déjà servi pour d'autres débutants ? Et qu'il n'en ira pas de même dans l'avenir ? Personne. Mme de T... n'abandonne peut-être son marbre que dans ce genre de situation (« aimerez-vous jamais la comtesse autant que moi ? »). Le cabinet est, n'est-ce pas, en parfait état de marche, les servantes n'ont pas eu l'air du tout étonnées. Certes, Mme de T... est censée être venue se « réconcilier » avec son mari (et donc, en un sens, enterrer sa vie de femme libre), mais enfin il y a des « cabinets » un peu partout, dans des châteaux, à la campagne, ou dans des hôtels particuliers à Paris.

Et, maintenant, le *finale*.

Les personnages sont réunis, tout le monde se tient très bien. Vivant va repartir dans la voiture du marquis, qui, lui, reste pour réinstaller sa maîtresse de marbre chez son mari. Mme de T... qui, ce matin-là, *dort un peu tard*, reçoit ses trois hommes de façon *décente*.

« Elle nous jouait tous, sans rien perdre de la dignité de son caractère. »

Elle raccompagne le narrateur, et lui dit :

« Adieu, Monsieur ; je vous dois bien des plaisirs, mais je vous ai payé d'un beau rêve. Dans ce moment, votre amour vous rappelle ; celle qui en est l'objet en est digne.

Si je lui ai dérobé quelques transports, je vous rends à elle, plus tendre, plus délicat et plus sensible.

« Adieu, encore une fois. Vous êtes charmant. Ne me brouillez pas avec la comtesse.

« Elle me serra la main et me quitta. »

Et la conclusion :

« Je montai dans la voiture qui m'attendait. Je cherchai bien la morale de toute cette aventure, et... je n'en trouvai point. »

Le dernier mot de *Point de lendemain* est *point*.

Vous êtes charmant. Ne me brouillez pas avec la comtesse.

On peut, un moment, rêver sur ce que deviennent les personnages de ce conte plus fantastique qu'on ne croit.

Vivant ? Cela va de soi : la discrétion sera, chez lui, définitive. Point de lendemain pour lui, mais beaucoup de futur.

Le mari, le marquis-amant ? Pas dans le coup, marionnettes sociales.

La comtesse ? Là, un doute. Car quelle sera la couleur de la conversation, ou plutôt son sous-entendu, désormais, de Mme de T... avec la comtesse ? Il est clair (mais est-ce si clair ?) que Vivant ne dira rien, et que Mme de T... et elle ne seront pas brouillées. Mais, encore une fois, qui sait ? Si Vivant Denon n'avoue pas, pendant si longtemps, être l'auteur du récit, il y a son devoir de réserve diplomatique, bien sûr, mais aussi, puisque « le fond est vrai » une autre raison. Laquelle ? Les acteurs sont toujours vivants ? Et surtout les actrices ? N'ont-elles pas disparu pendant la Révolution ? Un baron d'Empire, en 1812, pour quelques intimes, se sent-il plus libre ? Tout en restant prudent ? Et à juste titre : la régression, dans ces choses, le retour agressif de la morale sont toujours possibles.

Si l'on suit la pure logique du récit, il est sûr, en tout cas, que, « rendu plus sensible », Vivant transmettra quelque chose de Mme de T... à la comtesse. A supposer qu'il ne dise rien, son corps, lui, parlera.

Nous sommes en dehors de la morale sociale, c'est entendu, mais en pleine science physique.

La très grande nouveauté introduite par Mme de T..., ou plutôt, soyons juste, par le récit de Denon, est celle d'une femme s'organisant pour son propre plaisir (quel qu'il soit), sans avoir de comptes à rendre à personne.

Coup de tonnerre discret mais révolutionnaire dans le ciel de la métaphysique occidentale. Tout le monde sent bien que quelque chose, là, est déréglé et, pour ainsi dire, *chinois*.

Dans son roman *La Lenteur* (qui aurait pu aussi bien s'appeler *Le Silence* ou *La Discrétion*), Milan Kundera, qui fait de Mme de T... une « disciple d'Épicure », finit par poser cette question angoissée : « Peut-on vivre dans le plaisir et par le plaisir, et être heureux ? L'idéal de l'hédonisme est-il réalisable ? Cet espoir existe-t-il ? Existe-t-il au moins une frêle lueur d'espoir ? »

Mais oui, cher Milan, et, pour t'en convaincre, je vais te renvoyer (puisque tu n'as jamais eu le temps de les lire, pas plus d'ailleurs que la plupart de mes proches ou de mes amis) un certain nombre de mes romans : *Portrait du Joueur, Le Cœur Absolu, Les Folies Françaises, La Fête à Venise,* ou, mieux encore, *Le Lys d'Or.* Tu verras que ces « frêles lueurs » sont bel et bien des lumières, et tu me rassures en m'apprenant qu'elles sont dissimulées en pleine évidence. Edgar Poe a raison : il faut suivre la technique de la lettre volée.

La réponse à ta question, je l'ai déjà formulée : non pas « pour vivre heureux, vivons cachés » (ce n'est plus possible nulle part, et c'est de cela que tu dis souffrir), mais juste le contraire : pour vivre cachés, vivons heureux (c'est difficile, mais très réalisable). A peine es-tu heureux que tu deviens invisible, insoupçonnable, insurveillable. Comment être heureux ? Ah, voilà.

Je ne peux pas m'empêcher de penser que tu t'adresses quand même à moi quand tu te mets à tutoyer le narrateur de Denon : « Je t'en prie, ami, sois heureux. J'ai la vague impression que de ta capacité à être heureux dépend notre seul espoir. »

Merci.

Je me souviens du château de R..., sur les bords de la Loire, où, un été, j'écrivais, pour être « sur le terrain », certaines pages du *Lys d'Or*. J'avais avec moi, quelle coïncidence, *Point de lendemain*. J'étais avec une délicieuse et décente Mme de T..., que tu ne connais pas et dont personne ne te parlera jamais. Le matin, nous prenions notre petit déjeuner sur la terrasse à l'italienne, colonnade et glycine, en regardant, de l'autre côté du fleuve miroitant, le château de la Belle au Bois Dormant. Tu ne connais pas cet endroit ? Je t'y emmènerai si tu veux. Sois tranquille : là, pas d'enfants criards, pas de « danseurs » humanitaires, pas d'équipe de télévision au travail, pas de « judo moral », pas de colloque, pas de piscine, pas de moto, pas de névrose. Ce château a appartenu à Talleyrand qui y a vécu avec sa jeune nièce, la duchesse de Dino. Il était vieux, et elle très jeune. Le congrès de Vienne, où il l'a emmenée, était très choqué, mais, à la même époque, sûrement pas Denon. Ah, les bords de la Loire, cher Milan, les contes de Perrault ! Comme Kafka aurait été heureux de venir se promener par ici ! Quelle vie de château !

Toi qui aimes le comique dans l'Histoire, tu seras amusé de savoir que l'appartement du vieux Talleyrand (évêque renégat réconcilié *in extremis* avec Rome) a été, après sa mort, transformé par sa nièce en chapelle. Notre chambre, à la décente Mme de T... et moi, était juste à côté. C'est une chapelle, pas de hasard, dédiée à la Vierge; *Virgini fidelis*. Talleyrand désinfecté *post mortem* par sa nièce et maîtresse en hommage à la Vierge! Ça ne s'invente pas.

La Nuit merveilleuse : c'est le titre d'une réécriture pornographique de *Point de lendemain*, à la fin du XVIIIe siècle. Vivant y a-t-il mis la main? C'est possible, et nous ne devons pas oublier que, dans la version de 1777, apparaît, dans le cabinet, une statue de Priape (faut-il rappeler au lecteur d'aujourd'hui qu'il est question d'érection), ni que le très sérieux Vivant Denon a publié, avant l'Empire, une série de *dessins priapiques*.

Mme de T..., là, devient Mme de Terville. On l'aborde d'une autre façon.

« Je saisis l'instant, je pénètre hardiment jusqu'au fond du sanctuaire des amours : un cri doux et étouffé m'avertit qu'elle est heureuse; ses soupirs prolongés m'annoncent qu'elle l'est longtemps; le mouvement précipité de ses reins dont mes doigts habiles provoquent l'agilité, ne fait que confirmer ce que ses gestes et sa voix m'ont assez indiqué : je redouble d'ardeur et d'audace : un " Ah! fri-pon ", prononcé en deux temps, mais de cette voix mourante du plaisir qui renaît, double mes forces, mes désirs et mon courage; nos langues s'unissent, se croisent, se collent l'une à l'autre; nous nous suçons mutuellement; nos âmes se confondent, se multiplient à chacun de nos baisers; nous tombons enfin dans ce délicieux anéantissement auquel on ne peut rien comparer que lui-même. »

Voilà donc notre discrète aristocrate « se repliant comme une anguille qui serait entortillée autour du plaisir », ou bien se livrant à « d'aimables morsures ». « Mouvement rapide des reins », « secousses ravissantes », « langue active qui communique le nectar des dieux », ça n'en finit plus, c'est le genre et, comme d'habitude, vite ennuyeux par trop d'abondance. Relevons tout de même : « Troussée à souhait, jusqu'au-dessus des hanches, Mme de Terville s'était assise sur moi : le contact immédat de ses formes rondes et potelées secondaient merveilleusement l'action énergique de l'instrument de nos plaisirs... » Nous savons ainsi que Mme de T... était brune, que sa langue était « suave et douce », sa gorge « ferme et ronde », ses reins « agiles », sa croupe « merveilleuse », ses cuisses « mobiles et polies ». Les clichés, ici, ont leur fonction toute prête. « Nos langues se mêlaient, se serraient ; nos dents même s'entrechoquaient ; collés étroitement l'un à l'autre, nous fermions hermétiquement l'entrée de l'asile où s'était introduit le dieu du plaisir, que nous honorions par les plus douces libations. »

On peut difficilement proposer une plus belle défense et illustration de la *langue française*. Les Anglais, les Américains, ont bien raison de parler ici de *French Kiss*. Tout écrivain français qui se laissera aller à utiliser sa langue d'origine, dans sa tradition énergique, sera d'ailleurs l'objet d'un réflexe de pudibonderie : « Too French ». Amusant.

La Nuit merveilleuse en rajoute même dans le scabreux, puisque le narrateur profite de la femme de chambre, Mlle Rosalie. « Une main rapide portée à sa gorge qui était très ferme, la mit sur-le-champ au fait de mon petit projet. Un mouton charmant n'est pas plus doux. » Le plus scandaleux est d'ailleurs le consentement empressé des actrices :

« M'attirant à elle, en pompant tous les baisers que lui pro-diguait ma bouche, elle introduisit avec intelligence dans la mienne une langue mince et non moins frétillante que celle de sa belle maîtresse. »

Et ainsi de suite. De quoi révulser la reine Victoria.

On peut, à partir de là, revenir à la version classique qui, bien entendu, est incomparablement plus belle. Dire trop ou pas assez : l'erreur est là. Juste ce qu'il faut ? Musique.

En 1829, on s'en doute, le balancier est reparti à fond dans l'autre sens. Quand Balzac recopie *Point de lendemain* dans sa *Physiologie du mariage*, la scène du cabinet est censurée par ces mots : « Je jette ici un voile sur des folies que tous les âges pardonnent à la jeunesse en faveur de tant de désirs trahis, et de tant de souvenirs. » Malgré cela (il s'agit d'un groupe d'invités écoutant une lecture à voix haute), « plus d'une fois, privées de leurs éventails, les dames rougirent en écoutant le vieillard dont la lecture prestigieuse obtint grâce pour certains détails que nous avons supprimés comme trop érotiques pour l'époque actuelle ; néanmoins il est à croire que chaque dame le complimenta particulièrement ; car quelque temps après il leur offrit à toutes, ainsi qu'aux convives masculins, un exemplaire de ce charmant récit imprimé à vingt-cinq exemplaires par Pierre Didot. C'est sur l'exemplaire n° 24 que l'auteur a copié les éléments de cette narration inédite et due, dit-on, chose étrange, à Dorat... »

Prudent baron Denon. Avis, d'ailleurs, aux libertins de tous les siècles : prudence. Rien n'est jamais acquis, la liberté va et vient. Elle est rare. Elle n'est que très peu receva-ble en société. Ceux qui disent le contraire sont les pires menteurs.

Faut-il citer comme exemple de reprise idéologique et de modification de la censure, le film de Louis Malle, en 1958, *Les Amants*, qui s'inspirait directement de *Point de lendemain* ? On soulignera alors, malgré de bonnes intentions, le contre-sens final où une moderne Mme de T... part, à l'aube, vers une autre vie, avec son amant d'une nuit. C'est déjà l'époque d'un autre conformisme, bourgeois, se donnant maintenant comme vaguement libertaire. Le récit de Denon restera, lui, éternellement aristocratique, et c'est pourquoi on ne peut en tirer aucune morale (une morale est faite pour être partagée et, ici, chacun est renvoyé à soi et pour soi).

A quoi s'attendre, désormais, sur fond de sida et d'inté-grismes divers, de grandes messes des bons sentiments conviviaux destinées à voiler l'indifférence générale devant les nouveaux massacres ?

J'ouvre le Journal d'aujourd'hui, et je lis, en gros carac-tères (publicité officielle) : « Quand vous faites l'amour avec Sophie, pensez à protéger Valérie. » Et encore : « En cas de sécheresse vaginale ou de pénétration anale, afin d'éviter tout risque de rupture du préservatif, il est recommandé d'utiliser un gel à base d'eau, en vente dans les pharmacies et dans certaines grandes surfaces. »

Et voici des nouvelles des États-Unis : « Pour mieux se démarquer des adultes par rapport auxquels il se sent de plus en plus étranger, le *peuple adolescent* prend des initiatives. Le mouvement vient des campus où, devant un pasteur ou devant le drapeau américain, on se fait vœu de chasteté jusqu'au mariage. Des bagues sont échangées pour mar-quer cette nouvelle alliance. Aux États-Unis encore, d'anciens partisans de la liberté sexuelle se font soigner comme *sex addicts* (" drogués du sexe "), et prient Dieu de les aider à rester fidèles à l'élue de leur cœur. »

S'il avait toujours été en poste en 1940, au Louvre, Denon aurait été révoqué, comme franc-maçon, par Vichy : Travail, Famille, Patrie.

Prudence.

Il y a encore une autre hypothèse à formuler à propos de *Point de lendemain*. Elle est plus gênante que celle de la frigidité supposée de Mme de T..., de son épicurisme ou de son homosexualité à peine voilée, et même de la pornographie qu'on peut projeter sur elle. La voici : Mme de T..., ennuyée de son amant et dégoûtée de son mari, a décidé, avant de s'enfermer dans son château, d'avoir un enfant. Elle a choisi, de concert avec la comtesse, notre cavalier comme géniteur. Il a bonne mine, sa réputation est excellente. Elle espère, après cette nuit de transports, être enceinte, le mari étant obligé, bien sûr, d'endosser la paternité (comme M. du Châtelet avec la belle Émilie et son poète, affaire arrangée par Voltaire). Hélas, hélas, point de lendemain. Mais peut-être fera-t-elle d'autres tentatives un jour ? Qui sait, avec un jardinier ? Sous le nom très démodé de lady Chatterley ? Il y a *aussi* cela, dans l'ombre lucide et protégée de notre conte de fées. Mais silence : la nuit se referme, Vivant est parti de bon matin. Vers où ? L'Italie, bien sûr, sinon où aller ?

5.

Missions à Naples

Quand Vivant s'embarque pour l'Italie, peut-il imaginer que c'est pour de longues années ? C'est possible. Le présent est bloqué en France, il explosera dix ans plus tard, impossible, pour des esprits ultrasensibles de ne pas en avoir l'intuition. Quand l'horizon est opaque, la réaction instinctive devrait être, ainsi, de plonger dans le Temps.

L'histoire a l'air figée, terminée ? Erreur : le passé très lointain attend l'avenir. L'Italie du Sud, c'est déjà la Grèce. De là, jusqu'en Égypte, un jour, pourquoi pas ?

Le passé, ça tombe bien, est à la mode. D'où venons-nous, qui sommes-nous ? L'Encyclopédie se déplace sur le terrain. Antiquités, voyages.

Il y a là l'abbé de Saint-Non (quel nom ! et quel personnage, si on regarde son portrait peint par Fragonard en 1769 !) qui monte une expédition pour la Sicile. Il a les moyens. Voilà une façon de se rapprocher de la capitale du Royaume des Deux-Siciles, justement, point stratégique important : Naples.

Vivant est-il, dès ce moment, en cours d'affectation diplomatique plus ou moins secrète ? C'est probable, et cela transparaîtra bientôt. En bonne stratégie, on sera pour l'instant érudit, amateur cultivé, artiste, observateur des populations et des mœurs, archéologue, philologue. On ne craint pas les fatigues physiques. On poursuit sa propre aventure sans rien dévoiler.

Point de lendemain, à Paris, est attribué à Dorat? Peu importe, le public n'a pas à entrer dans ces choses. Ce qui n'empêche pas qu'un jour ou l'autre il faudra savoir mettre sa signature où il faut. Mais la partie est d'une tout autre envergure que celle d'une revendication purement « littéraire ». L'exemple de Voltaire a porté : il s'agit de Pouvoir.

L'expédition de Saint-Non, avec Denon, commence le 17 octobre 1777. On démarre à partir de Lyon, on descend le Rhône, on passe par Avignon, Nîmes, Arles, on repère ce qu'il y a de « romain ». On s'embarque ensuite à Marseille. Tiens, voici, au large, l'île d'Elbe : comment prévoir qu'un personnage fulgurant appelé « Empereur des Français » y sera bientôt détenu? Impensable. Tiens, on arrive à Cività-Vecchia. Rappelez-moi, déjà, le nom de cet écrivain français que nous avons bien connu, un peu rond, réservé, sympathique, devenu célèbre, paraît-il, au XXe siècle, et qui était là, dans ce trou, en poste diplomatique moisi? Oui, c'est ça, Beyle. Henri Beyle. Stendhal? Ah bon, il a pris un pseudonyme pour finir? Nous étions ensemble, je m'en souviens, pour le grand service funèbre donné dans la cathédrale de Vienne peu après la mort de Haydn. C'était en 1809. On jouait le *Requiem* de Mozart. Beyle était très ému, il pleurait presque, c'était une âme sensible. Dans ses débuts, il venait souvent me voir au Louvre. Son *Histoire de la peinture en Italie* n'est pas mal du tout; son *Rome, Naples Florence* non plus. Mais qui aurait pu penser qu'il écrirait des *romans*?

Voici Rome, et puis Naples. Vivant sera d'abord secrétaire d'ambassade (fonction floue, qui laisse place à ce qu'on veut), puis chargé d'affaires, poste essentiel puisqu'on sera alors, côté français, dans l'attente de nommer un ambassadeur. C'est là que l'art de la double vie de notre cavalier va devenir définitif. Côté cour, côté jardin. Côté face, côté souterrain : l'art de prendre le temps à son propre piège.

Des fouilles ont lieu à Herculanum et à Pompéi. Les vases grecs, qu'on appelle alors « étrusques », sont recherchés par quelques amateurs comme Hamilton, ambassadeur anglais. Ce dernier se rendra surtout célèbre par sa femme, Lady Hamilton, maîtresse de l'amiral Nelson, amie plus qu'intime de la reine de Naples Marie-Caroline, et danseuse, à ses heures, de « poses » à l'antique. Il y a d'elle de beaux crayons (seulement crayons ?) de Denon.

Ces vases grecs, Vivant en fera une brève collection éblouissante qu'il vendra par la suite à Louis XVI. Ils sont aujourd'hui à la Manufacture de Sèvres, où l'on peut les voir.

Je suis là, devant eux, avec une amie. Noirs et ocre, ils sont comme des soleils de nuit. Il y a un vase à boire avec une femme portant un thyrse, un flacon à l'huile ou à onguent, un autre vase à boire où une autre femme danse entre des volutes. Voici un vase de mariage, où une femme assise tient un miroir et un plat d'offrande. Et un cratère où un couple s'apprête pour un banquet : couronne de fleurs et bandeau autour de la tête.

Et voici le dieu qui ne pouvait pas manquer d'être là : Dionysos lui-même, l'ivresse sacrée et les arts, avec son cortège de satyres, de silènes, de ménades.

Tout cela, frais, nocturne, lumineux, emporté, vient du IVe ou Ve siècle avant notre ère. C'était à peine hier, ou, qui sait, peut-être, demain. Point de hier, tout est *mainte-*

nant si le réel est touché dans son point d'équilibre et d'extase. Homère, c'est ici, tout de suite, pour qui l'entend.

Donc, Priape existe. Et le cabinet de Mme de T... *sort de terre* après presque deux millénaires d'enfouissement sous la lave de l'éruption du Vésuve, en 79. Denon est là, il regarde. Cette révélation est *pour lui*. Décidément, une vie de destin s'orchestre toute seule. Il faut l'accompagner, ne pas la forcer. Naples est la patrie de Vico, l'auteur de la *Science Nouvelle*. Qui était Homère ? Faites le tour de ces vases, écoutez-les. On vient jusqu'à eux en portant un masque ? Sans doute, mais la leçon qu'ils font tourner avec eux (peinture circulaire sur les parois du vide) est qu'il faut savoir attendre, c'est tout.

Attention, la Grèce, pas Rome. Homère, pas Virgile ou Dante. Le sexe lui-même, pas la mélancolie ou l'effroi. La consumation rythmique, pas la décadence dans la pornographie, le péché, l'idéalisation féminine, la cruauté de substitution, l'éloquence. Rien qui soit marqué d'un signe de malédiction. On comprend comment, plus tard, pendant la Terreur, Vivant pourra trouver sa distance par rapport au carnaval « romain » qui agitera les Français (à commencer par son ami David) et ensuite, durant l'Empire, regarder aussi, avec froideur, cette compétition forcenée avec Rome. Il participe, et il est ailleurs. Il est au cœur du Palais, mais le vrai Palais est à côté, en dessous, au Louvre.

« La grotte a deux entrées : par l'une, ouverte au nord, descendent les humains ; l'autre s'ouvre au midi ; mais c'est l'entrée des dieux ; jamais homme ne prend ce chemin d'Immortels. » (*Odyssée*, XIII.)

Sur le moment, le *Voyage en Sicile* fait partie, pour Vivant, du jeu de la discrétion. L'abbé de Saint-Non utilise anonymement son récit sans lui rendre suffisamment hommage ? Qu'à cela ne tienne : on fera publier le même texte dans le volume d'un voyageur anglais, Swinburne, plaçant ainsi l'abbé dans une mauvaise posture, l'obligeant à reconnaître qu'il a eu des nègres comme Cabanis, Dolomieu, Chamfort (ce dernier pour le « précis historique » qui ouvre la publication de 1781). Cette fois, Vivant ira jusqu'au bout : en 1788, paraîtra le *Voyage en Sicile*, par M. De Non, Gentilhomme Ordinaire du Roi, et de l'Académie royale de Peinture et Sculpture, à Paris, de l'imprimé de Didot l'Aîné. Finie l'exploitation sous le manteau. Les temps approchent. C'est très bien d'être la victime de sa propre courtoisie, et de passer pour un dandy ou un dilettante, mais ça commence à bien faire. Ou bien on quitte tout et on vit tranquille (à Venise) : ou bien il y aura une révolution inouïe. Ce sera la Révolution.

La base du temps se prépare à changer de monde, et Naples est, en réalité, le meilleur endroit pour s'en convaincre. C'est un volcan. La Sicile aussi. Le Vésuve, l'Etna : présages.

Elle danse aussi sur un volcan, la société européenne. Denon est en train d'entrer dans ses secrets politiques : il observera, analysera, jugera.

Un autre visiteur français, un sismologue sans précédent, un fugitif énorme, se déplace dans le même temps en Italie, et singulièrement à Naples : Sade. En 1775, le marquis est à Florence où il séjourne sous le nom de comte de Mazan. Il y visite la galerie du grand-duc, et s'enflamme, par exemple, pour la *Vénus d'Urbin*, un

« tableau sublime », mais aussi pour *L'Hermaphrodite, Caligula caressant sa sœur,* et enfin Priape. Tout cela se retrouvera dans *Juliette* et pas seulement dans le *Voyage d'Italie.* En 1776, le marquis est à Naples, où le chargé d'affaires français, un prédécesseur immédiat de Denon, Béranger, le prend pour un caissier du grenier à sel de Lyon, un certain Teissier, qui s'est enfui avec quatre-vingt mille livres. Le marquis est obligé de décliner son identité. Mais voici le plus important : le 4 mai, il quitte Naples pour la France, « non sans s'être fait précéder » (nous dit le merveilleux biographe de Sade, Gilbert Lély), « de deux énormes caisses d'antiquailles et de curiosités, dont l'une qui voyage sur la Tartane l'*Aimable-Marie,* pèse plus de six quintaux ».

Dans *Juliette ou les prospérités du vice,* Sade, on le sait, met beaucoup en scène Naples et le Vésuve. C'est là que Juliette et Clairwil précipitent Olympe Borghèse dans le volcan. Marie-Caroline, la reine, la propre sœur de Marie-Antoinette, envisage de s'enfuir avec Juliette après avoir dérobé le trésor royal. Marie-Caroline et son mari Ferdinand se livrent, d'ailleurs, d'après le marquis, à des scènes d'orgies et de cruautés, surtout près d'Herculanum et de Pompéi. Toute la région, son soubassement, sa convulsion permanente, enflamme l'imagination sadienne et les discours que prononce son héroïne : « Le passé m'encourage, le présent m'électrise, je crains peu l'avenir. » Et encore : « La nature n'a créé les hommes que pour qu'ils s'amusent de tout sur la terre ; c'est sa plus chère loi, ce sera toujours celle de mon cœur. »

La réalité, on s'en doute, est bien différente. Nous allons revenir sur ce couple infernal des souverains de Naples, plutôt ennuyeux pour finir (et cela, c'est Denon qui va nous le dire). Sade, en poussant la fiction à la hauteur d'une éruption permanente, se donne tous les droits qu'une tyrannie sans partage autoriserait : voilà, dit-il, ce que je ferais si j'étais roi, empereur, pape. Ou pire, bien sûr. C'est une façon, bizarre mais logique, de dénoncer la tyrannie que de la croire occupée à des débordements sensuels. Mais non, elle est étroite, bornée, platement intéressée. Chasses rituelles, fêtes convenues, intrigues forcées, psychologie, hystérie, protocole, c'est là, sans doute, que Vivant commencera à avoir des sympathies pour une régénération sociale. On le sent dans le portrait qu'il fera d'un bandit au grand cœur Angiolillo del Duca. « Fier, courageux, généreux et plus noble qu'on ne doit l'attendre d'un être de sa sorte... Il s'était fait des principes qui, au lieu de le faire regarder comme un bandit, ont inspiré de la confiance, de la pitié et une espèce d'admiration... Après avoir été trahi par un des siens et attiré dans un piège, après s'être défendu dans un couvent pendant cinq heures contre deux hommes qui l'y attaquaient, obligé d'abandonner son poste où on avait mis le feu, il a été pris dans un aqueduc où il s'était réfugié, accablé de fatigues et de blessures... »

On imagine l'effet que ce genre de lettres pouvait produire à Versailles : « La mort d'Angiolillo et ses suites ont fait trop de bruit ici, Monseigneur, pour que je ne vous en entretienne pas encore une fois. Cet homme vraiment extraordinaire a inspiré un intérêt sans exemple. Tout le monde désirait qu'on pût le sauver ; il s'est même présenté un avocat célèbre pour plaider sa cause, et voulait démontrer qu'au lieu d'une punition on lui devait une récompense... Il a résisté héroïquement à toutes les tortures pour lui faire avouer ses complices. Il a été à la mort sans arrogance et sans frayeur. »

Voyez-vous ces signes s'accumuler à l'horizon ? Mais non, comme d'habitude, personne ne déchiffre rien, ou presque.

Alors, ce *Voyage en Sicile*? Mon avis est qu'il faut le lire comme un texte plus ou moins crypté. Récit de voyage, repérage des sols, des sites, des monuments, des coutumes, mais aussi constantes allusions de l'auteur à ses lectures, ironie légère. Une commande, soit. Mais à condition d'y glisser des messages : la philosophie ne prêche pas; elle ressort d'une certaine façon d'être là.

« Nous partîmes le 2 mai 1778 de Reggio, à midi, par temps calme... » Voilà, c'est tout simple. On est presque d'emblée « dans les fonds des tableaux de Poussin » (et ici, pas de hasard : nous avons un portrait de Denon feuilletant l'œuvre de Poussin, il est de Robert Lefevre, il a été évidemment voulu par Vivant qui le possédait, il est aujourd'hui au musée de Versailles).

Vers Messine, donc, et, sur mer, le danger s'appelle Charybde et Scylla. Ulysse a donc embarqué pour l'expédition. Au-delà de la citadelle « une heureuse langue de terre donnée par la nature comme le désir l'aurait tracée ». Messine est « le plus beau port que la nature ait jamais formé, bordé du plus beau quai que j'aie jamais vu, décoré d'une façade presque uniforme dans toute sa longueur, interrompue par nombre d'arcs qui servent d'entrée à autant de rues qui y aboutissent ».

Attention aux courants du détroit, il y en a dans tous les sens « qui varient selon les mois, le jour de l'année et l'heure du jour ». L'air, lui, « toujours rafraîchi par la mer, épuré par les montagnes, agité par les courants, et tempéré par l'ombre et les abris » fait de la ville « une des plus saines et des plus agréables habitations du monde entier ».

Nous allons maintenant au théâtre de Taormine : « Les Grecs n'avaient pas, ainsi que nous, le sot orgueil de vaincre la nature en décorant les lieux qui s'y refusaient le plus ; mais choisissant des situations heureuses, ils ajoutaient aux faveurs du hasard et faisaient des choses sublimes avec les mêmes dépenses avec lesquelles nous en faisons de médiocres. » Ce théâtre est « sonore au point qu'on entend de toutes ses parties le moindre son articulé ; et dans quelque lieu qu'on le frappe, il résonne comme un instrument ».

Au passage, notons que Vivant sait l'italien, le latin, bien entendu, mais aussi le grec. Ce qui deviendra de moins en moins courant, on le sait, jusqu'à être aujourd'hui une rareté comparable à celle de savoir l'hébreu au XVIIe siècle, ou le chinois au début du XXe.

« Plus on approche de l'Etna, plus le pays devient riche... tout semble croître à l'envi ; c'est l'image de l'âge d'or ; et je me persuadai plus que jamais que pour le bonheur d'un pays il y fallait un volcan. »

L'Etna ? « Nous montâmes pendant trois heures, et nous retrouvâmes dans cette traversée le printemps déjà perdu pour la plaine, les plus délicieuses campagnes, des bosquets de bois feuillés, et de la verdure la plus fraîche ; une nature jeune, riante, riche, vivace et abondante. Les Champs-Élysées et l'enfer des Grecs semblent avoir été imaginés ou copiés d'après l'Etna. Il faut être également poète et peintre pour le décrire. »

A Catane, Vivant admire un orgue fabriqué par un prêtre napolitain « du plus grand mérite dans ce genre » : « L'un des jeux rend l'écho d'une manière si aérienne, que l'on suit l'écho dans les lointains, et qu'il se perd dans l'espace. » Ensuite un clavecin merveilleux. Ensuite un jardin « que l'on peut dire bâti sur la lave ».

Et de nouveau l'Etna. Lisons, admirons :

« Nous avions déjà passé plusieurs bancs de neiges éternelles, et le froid était très vif lorsque nous arrivâmes à la plate-forme, ce terrible cratère antique qui a trois milles de diamètre... Je n'oublierai de ma vie l'impression que me fit éprouver l'approche de ce lieu imposant, qui semble proscrit pour les humains, et absolument dévoué aux divinités infernales. Là, tout est étranger à la nature : nulle végétation ; nul mouvement d'aucun être vivant n'y trouble le silence effrayant de la nuit ; tout est mort, ou plutôt rien encore n'a commencé de vivre ; rien n'y est combiné, c'est le chaos des éléments. Un air éthéré qui presse, étonne l'existence, et en fait connaître une qui avertit l'homme qu'il est hors de la région où ses organes l'enchaînent. On sent l'impression de sa témérité ; on croit entrer dans le laboratoire de la nature pour lui dérober ses secrets ; on éprouve le frémissement de l'attentat tout en s'enorgueillissant de son courage. Cette plaine enfin me parut un sanctuaire, et la lueur qui nous servait de fanal, le feu principe, qui, plus ancien que le monde, lui a donné le mouvement. Les vapeurs enflammées qui étaient lancées du cratère étaient la seule lueur qui éclairait de manière mystérieuse cet immense espace. Lorsque nous fûmes au milieu de la plate-forme, le feu se changea en un torrent de fumée. La lune, se levant alors, colora ce lieu, et en changea l'aspect d'une manière absolument différente, mais non moins terrible ; il nous sembla préparé pour les mystères ténébreux d'Hécate. Le jour était encore trop loin ; nos chevaux qui entraient dans la cendre jusqu'à mi-jambe ne pouvaient plus ni marcher ni respirer ; le froid augmentait toujours. »

Rien que pour des passages « sadiens » de ce genre (parmi des longueurs, inévitables, dans un récit ordonné de vovage), le *Voyage en Sicile* mérite d'être lu, et l'on comprend que Vivant en ait revendiqué la paternité d'écriture. C'est « déjà », aussi, la grande musique de Chateaubriand. Le texte est aimanté, orienté, habité : c'est ce que j'ai appelé crypter un récit, en apparence classique. « D'objets en objets nos regards se portèrent sur nous, et nous fûmes effrayés de la décomposition de nos figures, tant nous étions méconnaissables. » Bien entendu, le nom d'Empédocle suit, presque aussitôt. Vivant serait « présocratique » ? Qu'on en juge.

Et voici Agyre, où les paysans, « en travaillant la terre, trouvent nombre de camées et de pierres gravées ». Là, c'est un « docte chanoine » qui les collectionne, par exemple : « une sardoine gravée en creux, représentant un faune jouant avec une chèvre, travaillée d'un style et d'un fini aussi beau que tout ce que j'ai jamais vu de plus parfait en ce genre. Il a aussi des vases grecs trouvés dans des sépultures à l'ancienne manière des Grecs, où les corps étaient ensevelis et non brûlés... Ce docte chanoine, le seul peut-être à Agyre qui se soit avisé de savoir quelque chose, me fit voir sa bibliothèque, à laquelle il avait ajouté pour cinquante mille francs des meilleurs livres de toutes les langues. Il eut la bonté de me promettre quelques mots sur son pays et de faire des fouilles pour les rendre intéressantes. Il m'envoya une bouteille de vin grec, qu'il me dit avoir fait de son cru d'après une méthode donnée par Hésiode. Ce vin était très bon, quoique très vif encore, et ne ressemblait en rien au vin du pays ; tant il est vrai que la méthode fait beaucoup à la qualité du vin, ce qui pourrait servir de leçon aux Italiens. »

Denon est presque tout entier dans ce paragraphe : le « docte chanoine », le vin et sa « méthode », les médailles, les fouilles, la collection, les Grecs.

A Castro Giovani, ou Enna, il est déçu de ne pas retrouver les traces de Cérès, ou du rapt de Proserpine par Pluton, là « où des eaux abondantes formaient des lacs tranquilles, dont les bords rafraîchis étaient toujours émaillés des fleurs délicates des prairies... ». Le lieu est sinistre. Mais il fallait aller un peu plus loin, à Termini : « C'est ici véritablement le lieu chéri des nymphes, le séjour des divinités des fontaines... elles sortent de tous côtés ; il semble que chaque roche couvre une source. » Hélas, plus de Nymphes, ici, rien que des paralytiques. Une bonne partie du *Voyage en Sicile* consiste, ainsi, à comparer la vision idyllique des textes mythologiques ou poétiques avec la trivialité pétrifiée du présent. Cela aussi est de la polémique indirecte. Ce qu'on pourrait résumer par : quand le présent est trop indigne du passé, le futur se venge. Au moment où j'écris ces lignes, ça ne devrait pas, de nouveau, tarder.

Vivant aime Palerme. « Les femmes jolies, mais plus agréables encore, ne semblent avoir de prétentions que la dose qui les rend plus aimables... La conversation qui commence à une heure de nuit, c'est-à-dire dans le mois de juillet à neuf heures, finit à quatre et cinq heures, c'est-à-dire une heure après minuit. De là on se rend à la Marine, promenade charmante sur le bord de la mer, rendez-vous de tout Palerme, où l'on se promène à l'ombre et au frais depuis six heures après midi. On ne se couche jamais à Palerme qu'on n'ait fait un tour à la Marine. Il semble que ce soit un lieu privilégié, avec indulgence plénière, et que les Siciliens aient en sa faveur oublié leur caractère, jusqu'à y défendre l'arrivée des flambeaux et tout ce qui peut gêner les petites libertés clandestines... Enfin, il règne à cette promenade l'obscurité la plus mystérieuse et la plus respectée : tout le monde s'y confond et s'y perd, s'y cherche et s'y retrouve. »

Il y a des courses de chevaux et des processions : « Enfin arrive sainte Rosalie, qui chemine un peu plus posément, impose la joie, fait agenouiller le peuple, et termine la fête. »

Les temples ? Ségeste, Sélinonte ? Denon, bien entendu, en donne la description la plus minutieuse possible. Il veut faire sentir le temps feuilletant l'espace, l'entassement et l'organisation des pierres selon les croyances ou la variation des pouvoirs. Ce *regard* est bien celui de l'Encyclopédiste qu'il est, qu'il sera toute sa vie. Ainsi, dans la cathédrale de Girgenti, devant un bas-relief : « Il en est de l'allégorie comme de la métaphysique : chacun y voit ou se croit en droit d'y voir ce qui lui plaît, ce qui convient à son opinion. » Ainsi cette brève oraison funèbre pour le tyran d'Agrigente, Phalaris : « Il fit fabriquer le taureau qui porte son nom, et finit par se rendre si exécrable à ses sujets, qu'il les obligea à se défaire de lui. » Diodore de Sicile a écrit ceci et cela ? Oui, mais ceci n'est pas exactement ce qu'il dit, et cela, pas du tout. Relativité des descriptions, des images, des fables. Érosion et poussière de la réalité. Grandeurs et petits détails, confirmant les ruines, mais sans nostalgie ni rumination de néant (qui formeront le ton fondamental des *Mémoires d'outre-tombe*). Le constat est froid : « Je cherchai des yeux quelques traces de la beauté qui rendait les Agrigentines si célèbres ; je ne vis pas une belle femme et ne pus parler à aucune... La race des chevaux n'a pas moins dégénéré... La noblesse est très pauvre, et vit très obscurément... Sans société, sans plaisirs, on est sombre et dévot, et on en a l'air. »

Parfois, très rarement, le *corps* de Vivant apparaît. Ainsi, dans le bateau vers Malte : « Dans le premier moment, j'éprouvai cet enthousiasme que cause l'espoir de braver la mer. Mon illusion ne dura qu'une demi-heure ; et je tombai bientôt dans les angoisses, le désespoir et l'anéantissement que j'avais éprouvés tant de fois... L'impossibilité d'entrer à Malte la nuit, et mon impatience de mettre pied à terre pour prendre du relâche et donner quelques moments à mon estomac fatigué d'avoir vomi jusqu'au sang pendant toute la journée, me firent trouver la plus dure de toutes les plages le bosquet le plus délicieux. » On n'en saura pas plus. Maîtrise toute voltairienne, qui nous paraît presque inconcevable au temps de la subjectivité déchaînée, de la plainte continuelle. Même réserve, même pudeur, par la suite. En Égypte, les balles des Mamelouks vous sifflent aux oreilles, on continue à dessiner. Nous n'avons pas une note personnelle de Vivant sur son expérience physique dans le tourbillon sanglant des grandes batailles napoléoniennes. Il était pourtant là, on le sait. Il en va de même pour ses bonnes fortunes amoureuses. A moins de lire entre les lignes : les femmes de Malte sont, paraît-il, fidèles à leurs maris à la campagne, mais, en ville, « elles ne savent pas résister à l'or des baillis et aux soupirs des caravanistes ; aussi règne-t-il là une licence vraiment célibataire ».

Attitude constante, qui donne ce jugement *éclairé* : « Les lois de chaque État sont toutes bonnes, toutes sages, toutes propres au pays pour lequel elles ont été faites ; mais, pour connaître un gouvernement, il ne faut pas demander de code, ni s'informer des lois, mais de la manière dont on sait les enfreindre. » Un peu plus tard, à Syracuse, comme il ne se contente pas de ce qu'on lui raconte, notamment à propos des latomies, de la grotte dite l'Oreille de Denys

126

(« C'est l'antre de la Sibylle. Il n'y a pas de retentissement plus sensible. C'est peut-être le plus beau corps sonore qui existe »), et qu'il pense plus aux atrocités de la tyrannie qu'à la magie supposée du lieu, il a cette réflexion : « Comme je passais pour un novateur, pour avoir voulu croire à ce que la raison paraissait me dicter... » C'est clair. Et claire, aussi, cette remarque, comme en passant (toujours en hommage aux Grecs) : « Cette égalité et cette simplicité dans les honneurs rendus aux morts annoncent un temps de liberté et de république. » Vivant ne vivra pas en république, et servira beaucoup d'inégalités et d'emphases dans les honneurs rendus aux vivants et aux morts : est-il, dans le fond, resté républicain ? Le Louvre est-il sa déclaration indirecte en pleine lumière ? On peut le penser.

Un moment particulièrement intense d'émotion dans ce *Voyage* ? Oui. Nous sommes dans les environs de Syracuse, en bateau, sur un fleuve, « à l'ombre des cannes et des roseaux, et comme dans un taillis épais ». L'eau est de plus en plus claire. « Nous trouvâmes bientôt le *papyrus*, cette célèbre et curieuse plante qui n'existe dans le monde que sur les marais que forme le Nil dans ses débordements, et sur cette fontaine tranquille. J'étais extrêmement empressé de la voir, de la toucher, d'en connaître les détails. Elle était dans sa beauté, alors... »

Vingt ans plus tard, Vivant sera en Égypte. Vers la racine, vers le *papyrus*.

La Sicile et Malte, à la fin du XVIIIᵉ siècle. Un siècle après, en février 1879, un autre voyageur, plus à l'est, n'est pas si loin des mêmes régions, sa lettre vient de Larnaca, à

Chypre : « Je suis surveillant d'une carrière au désert, au bord de la mer... Le premier village est à une heure de marche. Il n'y a ici qu'un chaos de rocs, la rivière et la mer. Il n'y a qu'une maison. Pas de terre, pas de jardins, pas un arbre... c'est l'hiver. Il pleut quelquefois... On se nourrit de gibier, de poules, etc. Tous les Européens ont été malades, excepté moi... » Mais, un peu plus tard, en mai : « Je me porte mal ; j'ai des battements de cœur qui m'ennuient fort. Mais il vaut mieux que je n'y pense pas. Cependant, l'air est très sain ici. Il n'y a sur la montagne que des sapins et des fougères... »

Ce voyageur était encore l'année précédente à Gênes, puis en Égypte, à Alexandrie. Il va bientôt chercher du travail dans tous les ports de la mer Rouge, Djeddah, Souakim, Massaouah, Hodeidhah. Il sera bientôt à Aden.

Il s'agit du plus grand poète français, mais personne ne le sait encore (l'Histoire est lente).

Son nom est Arthur Rimbaud.

Le 26 février 1779, depuis Naples, Vivant pose ouvertement sa candidature de secrétaire d'ambassade. Hennin, qu'il a connu lors de sa mission dans les Cantons suisses, est au ministère des Affaires étrangères, chez Vergennes.

Charles Gravier comte de Vergennes était à Stockholm quand Vivant est passé par là après son expulsion de Saint-Pétersbourg. Il va être ministre jusqu'à sa mort, en 1787, date à laquelle Vivant semblera abandonner son activité diplomatique pour se « retirer » à Venise. Trois étapes de la carrière de Vergennes : le renouvellement de l'alliance avec les Cantons suisses (tiens donc), la construction de l'indépendance des États-Unis (1783), le traité de commerce avec l'Angleterre (1786).

Dans sa lettre à Hennin, Denon déborde de loin le style du rapport : « J'ai bien senti la vérité de ce que vous me dites, qu'une nation neuve est bien intéressante à observer. Mais (après avoir parcouru les provinces de ce Royaume), celle-ci n'a pas encore commencé. Hors les portes de Naples on est encore au XVe siècle, et, dans Naples même, il n'y a que les modes et les manières de la cour qui soient du XVIIIe... Le gouvernement conserve encore toute l'empreinte et les vices des régimes passés... Un ministre nonchalant n'a pour toute vertu que de la douceur et de l'apathie, et pour tout talent que l'art de cacher son insuffisance sous un mystérieux silence qui n'est que stupidité pour ceux qui le suivent et peuvent l'examiner de près... La Reine qui passe pour gouverner parle beaucoup, ne conclut rien... Violente et passionnée, elle est toujours l'esclave et la victime de ses goûts, et met toute sa politique à concilier entre eux ceux qui en sont les objets ou les instruments, elle se venge impérieusement de ses rivales et s'abaisse jusqu'à feindre aux yeux de ses femmes de chambre confidentes, elle croit cacher ses intrigues par de l'intrigue et paye cher des plaisirs qu'elle goûte peu. »

Voilà, le ton est donné, il ne faiblira plus. Le Roi ? « C'est sans doute un excellent prince, il n'est pas possible de lui désirer un meilleur naturel, plus de clarté dans l'esprit et d'aptitude à ce qui lui plaît » (langage diplomatique : en réalité Ferdinand est un rustre, inculte, lâche, parfaitement dominé par sa femme). « Mais avec peu d'éducation, peu de connaissances, sans application et surtout sans caractère, la bonté dans un roi est, pour ainsi dire, un malheur de plus et voilà où en est le roi de Naples. »

129

N'oublions pas que tout ce que dira Vivant sera connu du Conseil de Louis XVI, auquel participe Marie-Antoinette, sœur cadette de Marie-Caroline. La « bonté dans un roi » qui devient un « malheur de plus » ? Comment ne pas penser à Louis XVI (pourtant très supérieur au roi Ferdinand) ?

Dès le début, Vivant est donc endiablé : « Un ministre de la marine s'est attiré par un babil mesuré une confiance qui pouvait lui faire jouer un grand rôle s'il en avait la consistance... Le Code des Lois est un modèle de législation, mais dix mille hommes de robe dans la seule ville de Naples sont occupés jour et nuit à vicier ce beau corps et l'ont défiguré de telle sorte qu'il ne lui reste plus de forme... Cependant, comme tout va toujours bien dans le meilleur des mondes possibles » – (admirable ironie entre « philosophes » !) –, « rien ne périclite dans celui-ci... et un seul homme de génie dans le gouvernement pourrait certainement le mettre en très peu de temps dans le cas de jouer un rôle intéressant dans le système politique de l'Europe... » (c'est « un Colbert » qu'il faudrait à Naples).

La ville appartient aux Barons, venus de leurs châteaux depuis un siècle : « Ils sont sénateurs-nés, juges criminels et civils, administrateurs financiers, et, avec cela, paresseux, spirituels, ignorants, magnifiques et despotes. »

(Vivant Denon, lui, n'est-il pas un grand écrivain ?)

« Ces Barons avaient autrefois des troupes avec lesquelles ils se disputaient le terrain ou composaient avec les souverains ; quand ils furent moins riches, ils n'entretinrent que des Bandits qui servaient leurs passions particulières et qu'ils payaient en rapines... »

On voit que la Sicile vient d'assez loin jusqu'à nous.

Vivant est donc d'abord secrétaire, et complice de l'ambassadeur, Clermont d'Amboise, qui l'apprécie et va le laisser transformer les locaux en dépôt d'œuvres d'art.

Sur le plan stratégique, la partie est compliquée mais assez facile à comprendre.

Elle se joue entre la France, l'Autriche, l'Angleterre, l'Espagne, la Russie.

Qui joue pour qui, et comment? Voilà ce qu'il faut savoir, prévoir, favoriser, empêcher, et les passions privées, comme toujours, sont plus importantes qu'on ne croit dans ces choses, même si les considérations commerciales et militaires sont déterminantes. Là encore, on est en plein roman vrai.

Marie-Caroline est Autrichienne. Elle est déçue par son mari, elle est belle, gracieuse, inconséquente. « Gâtée » par la vulgarité de son époux, elle a des amants, fait des enfants légitimes quand même, incline à la débauche, ou du moins, à l'hystérie permanente. Quand Vivant arrive, elle vient de passer d'un Russe énamouré à un beaucoup plus considérable personnage, Irlandais d'origine et vendu aux Anglais, Acton. Elle déteste les Bourbons et surtout la France (jalouse de sa sœur et de Versailles, bien sûr). Sa mère s'inquiète à Vienne? Tant mieux. On ne fait jamais trop souffrir une mère et une sœur.

Ferdinand, roi tout de même, est le fils du roi d'Espagne qui n'arrête pas de se désoler de ce qu'on lui raconte de la Cour de son fils. Il lui écrit, à ce fils faible, grossier et malheureux, mené par le bout de son long nez par son Autrichienne. Peine perdue (d'ailleurs la reine intercepte le courrier et, au bon moment, fait des scènes de séduction ou de rage). Les Espagnols sont donc ici les « alliés objectifs » des Français.

Les Anglais, eux, progressent. La question de Naples est, pour leur flotte, de toute première importance (et voici, pour le prouver, l'amiral Nelson en personne).

Les Russes ne désespèrent pas. Eux aussi ont à poursuivre leur rêve d'expansion maritime en Méditerranée (vieux problème).

Les Autrichiens hésitent. Versailles aussi. Vergennes est hostile à l'Autriche, mais Marie-Antoinette est là.

Messieurs, leur dit Denon, dois-je vous dire la vérité ? Dans un premier temps, la réponse est plutôt : « allez-y ». Mais enfin l'internationale des Cours a ses lois, et il semble que Vivant ait fini par être imprudent. C'était prévisible.

Il est donc « chargé d'affaires » en 1782, notre cavalier. Il est obligé, parmi les affaires de fond, de raconter aussi des inepties. Par exemple, une fête ayant été suspendue à cause d'une indisposition de la reine : « Heureusement la fièvre qu'elle a eue deux jours de suite avec frissons a cédé à un vomitif qui a produit l'effet le plus désirable, et les spectacles recommencent ce soir. »

La reine a vomi, alléluia, on peut recommencer à s'amuser.

Ou encore : « Il y a eu le 13 gala à la cour. Baisemain, dîner en public et illumination au théâtre. »

Pendant ce temps, le malveillant Acton multiplie les humiliations : elles visent la corvette *La Flèche* ou la frégate *La Vestale* (tous ces noms de bateaux d'époque sont merveilleux). C'est la guerre des nerfs : préséances, froideurs, petitesses. La reine et son amant, Acton, ne ménagent pas non plus le roi : « Les persécutions auprès du roi ont recommencé au point de le rendre malade, et ce prince disait il y a quelques jours à quelqu'un qui lui demandait des nouvelles d'un dérangement de sa santé : " On me fait avaler la bile à pleins verres, heureusement pour moi que la nature vient à mon secours. " »

On assiste à des scènes de vaudeville, rapportées par l'espionnage domestique. Le roi refuse de montrer une lettre à la reine. Celle-ci la lui vole dans sa poche pendant son sommeil, mais ne peut pas la déchiffrer puisqu'elle est en espagnol. Le roi est furieux. A-t-elle tort ? Mais non, au contraire : « Le roi, qui s'était fâché d'abord, écouta cependant les reproches qu'elle lui fit sur son défaut de confiance qui l'obligeait à faire des choses si peu dignes d'elle et qui humiliait de tant de manières la tendresse extrême qu'elle avait pour lui. Ses larmes coulèrent. Enfin, elle se trouva mal. Le roi fut si hors de lui qu'il pensa lui en arriver autant. »

Résultat : le roi s'excuse auprès de la reine, et lui traduit la lettre.

Stratégie féminine classique. Vous êtes prise en flagrant délit d'escroquerie ? Passez immédiatement à l'attaque. La victime doit se faire pardonner *ce qu'elle vous a obligé à faire.*

De temps en temps, il y a de la visite importante. Ainsi du duc de Chartres, devenu duc d'Orléans en 1785, puis Philippe-Égalité (il votera la mort de Louis XVI). On chasse, et il y a cent quarante-sept sangliers tués à la lance. Après, ce sont les faisans, les canards.

Acton, avec sa politique anglo-russe, est de plus en plus défavorable aux Français. Finalement, il devient un ennemi personnel de Vivant, qui doit obtenir trop de renseignements par sa voie favorite, intra-féminine. Après tout, il est charmant, il n'a pas quarante ans, et Naples a sa facilité d'atmosphère. Parmi les « dessins priapiques » publiés sous le Directoire, voyez cette belle Napolitaine soulevant sa robe : elle convainc.

Pour les Russes, Vergennes avertit Denon : « Il n'y a point d'idée politique, quelque vaste qu'elle soit, qui ne leur passe par la tête. » Voilà une phrase qui résonnera étrangement au XXe siècle.

Il ne faut pas croire que Vivant n'est pas soutenu par son ministre qui, lui-même, joue une partie serrée. Il écrit à Vivant : « Le roi (de France) sait bien quel vent souffle aujourd'hui à la cour de Naples, mais ce n'est que du vent, et il passera. » Et aussi (il y a eu probablement une dénonciation, et ce message est donc fait pour être copié par Acton) : « Je ne croirai jamais, Monsieur, qu'en vous renfermant dans vos devoirs et rendant à chacun son dû, il y ait personne à la cour de Naples qui puisse vous faire un crime de mander les choses comme on vous les dit ou comme vous les voyez. »

Autre événement : le tremblement de terre de Messine (en février 1783) : quarante mille morts, spectacles suspendus, prières publiques pendant trois jours. On imagine l'état d'esprit de Vivant, lecteur de Voltaire et, donc, du poème sur le tremblement de terre de Lisbonne. « Une partie de la noblesse », écrit-il avec ce qu'on peut imaginer être une certaine satisfaction, « a passé la nuit dans des carrosses ou sur les places publiques. » La France enverra du blé et de la farine. Marie-Caroline n'en voudra pas, et fera courir le bruit que la livraison était moisie. La corvette française s'appelait *La Sémillante*.

Sec commentaire de notre chargé d'affaires : les exactions des Barons sont pires que le tremblement de terre.

Cela dit, peut-il y avoir un vrai rapprochement entre Russes et Napolitains ? C'est peu probable, écrit Vivant, ils se ressemblent trop : « Même mauvaise foi, même nonchalance, même inexactitude dans les livraisons, même esprit de chicane. Le commerçant Russe et le Napolitain ne connaissent que le commerce interlope. » Avis au futur.

Une des lettres qui en dit le plus long sur la division qui règne dans les Cours royales (et sur l'importance qu'y prennent les femmes, menant leur propre politique en coulisses) est cette lettre officielle d'avertissement de Vergennes à Denon :

« Vous vous êtes permis, Monsieur, de traiter dans vos lettres des particularités qui ne sont pas de nature à être exposées dans un conseil, et vous avez donné à votre relation une tournure peu convenable à votre position et à la gravité de la politique. En général, les anecdotes sur la vie privée des Princes ne sont matière à dépêches que lorsqu'elles ont un rapport absolument nécessaire aux affaires, encore doivent-elles être rendues avec la plus grande circonspection, et n'être jamais confiées à la poste, même en chiffre. Il n'y a que trop d'exemples du mauvais effet qu'ont produit de pareilles indiscrétions. Vous auriez dû d'ailleurs considérer les rapports personnels qui existent entre le roi et la cour de Naples. »

Autrement dit : attention, le parti philosophique est en difficulté, Marie-Antoinette et son mari ne veulent pas qu'on raconte la vérité sur leur sœur et belle-sœur, n'oubliez pas que ces personnages restent malgré tout en famille. Prenez un intermédiaire pour le courrier, votre chiffre est brûlé.

On comprend que la vie du chargé d'affaires va devenir de plus en plus intenable. « Je suis devenu un épouvantail insupportable. » Et ceci : « Vous voyez, Monseigneur, la manière guerroyante et épineuse dont j'existe ici. »

En effet : on l'accusera bientôt d'être de mèche avec l'accoucheur de la reine, et de répandre des bruits comme quoi elle a des difficultés de ce côté-là. Voilà, n'est-ce pas, une affaire d'État.

Plus étrange, à l'automne de 1783, la relation que fait Vivant de la visite de Cagliostro à Naples : « Monseigneur, le comte de Cagliostro, célèbre par la singularité de sa manière d'être, recommandable par les cures qu'il a faites et par la générosité avec laquelle il exerce la médecine, est ici depuis quelques jours : jusqu'à présent, il a évité de se faire connaître et n'a voulu voir que le chargé des affaires de France. »

Cagliostro arrive de Strasbourg, il a l'air bourré de recommandations (dont celle du cardinal de Rohan), bref nous versons ici dans Alexandre Dumas, complot maçonnique, future affaire du collier de la reine. Vergennes va vite réagir : attention ! Mais Vivant est visiblement sous le charme : « Le comte de Cagliostro est parti pour Paris hier. Cet homme extraordinaire a continué de consacrer au repos le temps de son séjour à Naples : il n'a toujours voulu voir que moi et quelques malades que je lui ai fait rencontrer chez moi et en secret. Pendant ce temps où je l'ai vu plusieurs heures par jour et où il a paru prendre une grande confiance en moi, j'ai été dans le cas d'admirer en lui des connaissances très singulières et si j'ai trouvé dans son caractère trop de goût pour l'extraordinaire, j'ai été plus encore dans celui d'applaudir à sa sensibilité et à son bon cœur. Enfin, personne n'a eu à s'en plaindre, et tous ceux que je lui ai fait connaître ont à s'en louer et le regrettent... »

Nous sommes ici bien avant la création de l'Ordre des « Sophisiens », et par conséquent sur un point capital de la vie de Denon, dont il est pour le moins étrange que ses biographes ne fassent pas mention. Cagliostro, on le sait, sera arrêté à Rome en 1791, et finira ses jours, en 1795, en prison. L'Inquisition, après la Révolution française, est mobilisée sur la question des sociétés secrètes (et l'expulsion de Vivant hors de Venise s'explique à mon avis surtout par là). Charlatan ou pas, Cagliostro avait fondé la « Loge Mère d'Adoption de la Haute Maçonnerie Égyptienne » où il se faisait passer pour un émissaire du prophète Élie, se donnant le titre de Grand Copte qui signifiait descendant d'un ange ou même immortel. Pourquoi pas.

Bien. Mais Naples, justement, et certainement Venise, par la suite, sont, à l'époque, des lieux d'expansion maçonnique, comme d'ailleurs Livourne, Vérone, Turin, Messine ou Modène. On appelait alors les maçons italiens les « Liberi Muratori ». Leur existence deviendra problématique jusqu'à l'arrivée de l'armée française.

Cagliostro n'est pas venu à Naples pour faire seulement du tourisme ni soigner quelques malades. Qu'il ait accordé « toute sa confiance » à Vivant (même si ce dernier trouve qu'il a trop de goût pour « l'extraordinaire ») est très remarquable. On peut rêver de ce qu'ils se sont dit (notamment à propos de Marie-Antoinette). Pensons aussi à Casanova. Aller plus loin dans le roman tramant l'Histoire est difficile : Denon y parviendra, pourtant. Il ne faut tout simplement pas mourir trop tôt, ni perdre, au propre comme au figuré, la tête.

Le cardinal de Bernis viendra faire une tournée d'inspection chez notre très singulier chargé d'affaires. Pas de problèmes, c'est un ami. En 1785, enfin, Vivant est remplacé par un nouvel ambassadeur français, le baron de Talleyrand, cousin du prodigieux artisan de la diplomatie française sous Napoléon et après.

Marie-Caroline, reine de Naples, va-t-elle se conduire correctement pour le départ de Vivant, ce cavalier dérangeant qu'elle déteste ? Mais oui : elle le reçoit et lui remet les cadeaux d'adieu traditionnels : une bague à son chiffre, ornée d'un diamant, et une petite cassette en émail. Aurait-elle pu l'aimer ? Mais non, on n'aime pas un Français, puisque sa sœur a pris le roi de cette vilaine espèce.

6.

Mystère à Venise

Avant de rentrer en France, Vivant va voir à Rome son ami le cardinal de Bernis. Ce dernier sera bientôt requis, par le nouveau régime qui s'installera en France, de prêter serment. A quoi il répondra, en homme d'esprit et avec courage : deux serments déjà prononcés, l'un à Dieu, l'autre au Roi, c'est déjà beaucoup pour un seul homme. Deux, mais pas trois. Il mourra en 1794, en exil, et pauvre. On peut lire, sur cette période opaque, la lettre que le marquis de Sade envoie à Bernis à la fin de 1793, juste avant sa propre arrestation. Je l'ai publiée en 1989 sous le titre : *Sade contre l'Être Suprême.*

C'est à Chalon que notre cavalier doit aller d'abord : son père y meurt.

Dans le cas de Vivant, le choc est certainement très vif. Il a aimé ce père qui l'aimait. De plus, s'appeler exactement comme lui (nom et prénom), ce n'est pas simple.

Un Vivant Denon est mort. Reste Vivant Denon.

On peut d'ailleurs être mort de corps, et continuer à être vivant de nom.

Il y a cet irritant problème de noblesse. Signer De Non est une échappatoire. Certes, on y acquiert l'impression d'être « né », comme on disait à une époque où la naissance était davantage une question de titre qu'une péripétie de la biologie, mais encore faut-il que cela vous soit reconnu. Or, à Versailles, le dossier de Vivant le désigne simplement comme « le sieur Denon ». De plus, il va vite découvrir, mais c'est la loi des gouvernements, qu'on s'est mis d'accord sur son dos dans les affaires de Naples.

Pas de reconnaissance officielle et nominale ? Alors, de l'argent. Il se fait donc payer, et très bien. Notons qu'on lui verse une gratification extraordinaire de dix mille livres sur le fond des Affaires étrangères, « tant pour les frais de son retour de Naples que pour toutes répétitions de sa part relativement aux fonctions qu'il a remplies ».

La formule est bizarre. Services secrets ? Bien sûr. Circulation d'œuvres d'art ? Cela va de soi. Il n'est pas rentré de Naples les mains vides. Il a bien fallu rapatrier, d'une manière ou d'une autre, le stock entreposé à l'ambassade.

Les choses vont s'éclaircir. Quand Vivant demande s'il peut se prévaloir des titres suivants : « Seigneur de Lans, capitaine d'infanterie à la suite de l'armée, Gentilhomme ordinaire du Roi et son ancien chargé d'affaires à la cour de Naples », la réponse est un trait de plume négatif présenté à la signature du roi. Qui a *barré* ces lignes ? Humiliation inutile, derrière laquelle se profile l'ombre de la guillotine. Il ne fallait pas se moquer de la sœur de la reine de France ? Sans doute, mais rira bien qui rira le dernier.

Vergennes meurt en 1787. L'ami de Denon au ministère, Hennin, se retrouvera, comme c'est curieux, ministre de France à Venise. Ah, et puis le secrétaire du Conseil des Dix de la Sérénissime est, quelle coïncidence, un ami rencontré à Naples. Ainsi va la vie.

Une amie étrangère me dit :

– Mais c'est un iceberg, ce Denon ! Tout autre chose qu'un dandy ou un dilettante ! Comment se fait-il qu'il ne soit pas plus connu ? *Point de lendemain,* c'est entendu, mais tout le reste ? Quelle histoire ! Pourquoi est-elle si enfouie ? Que font les historiens ? Les universitaires ? Comment expliquer la réserve de la République ?

On se le demande.

Le 7 mai 1785, Vivant avait écrit à Vergennes ce jugement sur la cour de Naples, mais qui vaut, évidemment, pour toutes les cours et tous les régimes :

« La vérité n'est admissible que là où elle est supportable. On la connaît très bien ici, mais on n'en veut point ; la mauvaise volonté est positive, constante et inhérente. Il n'y aura que l'abus qu'on en fera qui pourra la détruire. »

Il faut relire cette formule : elle est extraordinaire. Elle pourrait être d'un métaphysicien professionnel, ou d'un écrivain systématiquement combattu à cause de la nouveauté de sa vision. Il y a, à l'encontre de la vérité, « une mauvaise volonté positive, constante et inhérente ». Une perversion intrinsèque (comme on dirait en théologie). On n'y peut rien, il faut que le mal se détruise lui-même par ses abus. La lumière brille dans les ténèbres, et les ténèbres n'en veulent pas. Cela pourrait être du saint Jean. Les Lumières ont, parfois, ce genre de lumière.

Par sécurité, donc, comme on doit le faire chaque fois que des pouvoirs policiers préféreraient (même en payant cher votre silence) se débarrasser discrètement de vous, le mieux est de s'exhiber en pleine clarté, et même au cœur de l'Institution. Plus de carrière diplomatique avouable pour le

« sieur Denon » ? Très bien, on va montrer aux officines de l'ombre qu'on est d'abord un artiste, c'est-à-dire quelqu'un qui s'occupe de choses qu'ils ne comprennent pas et ne comprendront jamais. En mars 1787, voyez-vous ça, Monsieur Denon, « graveur artiste de divers talents », est élu à l'Académie de peinture. Il s'est présenté, non sans sourire intérieurement on le suppose, avec une gravure excellente d'un tableau de Luca Giordano, l'*Adoration des bergers*. Pour bien marquer le coup, publication, l'année suivante, du *Voyage en Sicile* par « Monsieur De Non, Gentilhomme ordinaire du Roi et de l'Académie royale de Peinture et Sculpture ». De Non, na, en deux mots. Et c'est moi qui l'imprime. La Révolution nous ramènera à Denon en un seul mot ? D'accord, mais on rebondira plus tard dans Baron. Tout cela n'a pas grande importance, la société est un jeu.

A bons entendeurs, salut. Et même bonsoir, puisqu'on va repartir et ne revenir que lorsque les temps auront changé d'époque. On vous avait prévenus, vous n'avez pas voulu entendre, tant pis.

Il faut dire qu'à la fin des années quatre-vingt, il n'y a pas grand-chose à faire à Paris. En dix ans, que d'espoirs déçus, que de changements régressifs. Le parti philosophique est en repli. Rien à voir avec 1777 (parution de *Point de lendemain*) ou 1778 (triomphe de Voltaire qu'il faut, malgré tout, enterrer de nuit en cachette). Alors, malgré la censure et la cabale des dévots, tout était frémissant, ouvert, possible. Maintenant, rien ne va plus, les réformes traînent ou sont abandonnées, les meilleurs esprits sont aigris. Les grands (Diderot, Voltaire, Rousseau) sont morts, les petits les remplacent, conformisme, prudence, prédications vertueuses. Un monde meurt, le suivant refuse de naître. Il y faudra donc de la violence (et ce n'est pas dans le caractère de Vivant : la guerre, oui, s'il le faut ; la cruauté, non).

Denon sent tout cela. Il assure sa présence d'amateur éclairé, c'est son identité d'emprunt permanente pour avoir la paix. Puisqu'il faut attendre, il ira là où l'attente est une fête, à Venise.

Il écrit quand même un compte rendu du Salon, manière bien à lui, en défendant l'École française, de manifester un singulier patriotisme. Ne dénigrons pas Watteau, Fragonard, même si leur temps est passé (mais il reviendra, il reviendra, rêvera sans doute Vivant, en regardant tous les jours, chez lui, quai Voltaire, un des tableaux qu'il est le plus secrètement heureux de posséder : le *Gilles* de Watteau). Et puis, tiens, il y a là un jeune artiste qu'on a connu à Naples, et qui a l'air d'avoir le plus grand avenir : sens de la composition, sujets forts, tempérament énergique. Son *Socrate buvant la ciguë* a beaucoup d'allure. Le nom de ce nouveau peintre ? David. On ne dira jamais assez de bien, par pressentiment, de quelqu'un qui sera amené à vous sauver la vie.

En mai 1788, après avoir tout préparé discrètement, à son habitude, Vivant part pour l'Italie. En juillet, il s'installe à Venise. Pendant cinq ans, il va y vivre heureux, c'est-à-dire caché, caché *parce que* heureux. C'est sa méthode.

Il a de l'argent. Pas trop, mais suffisamment. Il va faire venir par bateau son vin jusqu'à lui, et il le vendra (du Chambertin pour les dîners vénitiens). Géographiquement, commercialement, diplomatiquement, Venise est *aussi* un poste stratégique. Ville en sommeil, oui, mais coulisse active. Bonaparte, qui en est jaloux, la pénalisera durement (ainsi que Vérone) et la vendra pour presque rien aux Autrichiens. D'où, tout au long du XIXe siècle, c'est-à-dire encore aujourd'hui dans les imaginations, la légende germano-romantique d'une Venise décadente s'effondrant peu à peu dans l'eau noire de la mélancolie (« La mort à Venise »), avant que ne se mettent en place la trépidation et la déprédation touristiques ou le tintamarre d'art. A moins de vivre à l'écart.

En 1788, on en est encore, même de façon ralentie, à la Venise des palais, salons, cafés, masques, fêtes, musiques. Vivant a un appartement, au pont des Berettieri. Nous connaissons avec précision sa manière de vivre et ses horaires, grâce (si on peut dire) aux policiers et aux espions de l'Inquisition et à leurs rapports. On devine tout de suite qu'il va s'arranger pour avoir la protection d'une femme intelligente, cultivée, discrète, influente. La voici : Isabella Teotochi Marin, comtesse Albrizzi. Elle l'appellera *Vivente*, à l'italienne. Son salon prendra de plus en plus d'importance, ce sera un lieu de rendez-vous de l'intelligentsia « libérale » (Pindemonte, Foscolo, Alfieri, Cesarotti, Byron, Canova). Chateaubriand lui rendra visite : il a connu « l'aimable Denon », il veut entendre parler de Byron.

Isabelle est belle, ronde, vive, enjouée ; elle aime les portraits et elle est douée ; elle dessinera son *Vivente*. Ils vont s'aimer calmement. Ils s'écriront toute leur vie. « Ne me brouillez pas avec la comtesse », disait Mme de T... à la fin de *Point de lendemain*. Eh bien, voilà une autre comtesse.

Le grand événement de cette vie à Venise, c'est justement qu'il n'y en a pas. Sauf un, pas si loin, qui va changer le calendrier de l'Histoire : la Révolution française. L'onde de choc va mettre du temps à se propager, mais, en 1793, quand Denon sera expulsé de Venise, il n'y aura plus de doute : on est en train de passer dans une autre galaxie. Nous y sommes toujours, même si une autre (mais laquelle ?) s'annonce.

Pour comprendre cette mutation fondamentale, prenons, par exemple, un roman célèbre de la première moitié du XXe siècle : *La Nausée*, de Sartre. Peut-être n'a-t-on pas assez remarqué que le narrateur, coincé à Bouville, dans la province française (nous sommes en 1932), s'est donné comme tâche d'écrire un livre sur un personnage à cheval sur le XVIIIe et le XIXe siècle (la période qui nous intéresse ici) : le marquis de Rollebon. *La Nausée* est *aussi* l'histoire de l'impossibilité d'écrire l'Histoire. Cet ennui, cette inhibition débouchent sur la révélation d'une inquiétante présence à soi, une vie accusatrice des objets, une déréalisation de plus en plus angoissante, une extase négative devant l'existence en tant que telle, absurde, proliférante, indéfinie, instable, *pleine*, réfutant toute explication et toute raison. La Nausée, l'Étranger, le Mur, la Chute : toute une époque s'inscrit dans cette exacerbation et ce non-sens des substances, cette gratuité des situations, cette inauthenticité des comportements. Mensonge de l'Histoire, mensonge de la Société. Séparation, mélancolie, errance.

Que dit le narrateur de *La Nausée* du marquis de Rollebon ? Qu'il a été l'ami de Marie-Antoinette. Qu'il était laid, mais que cela ne l'empêchait pas d'avoir toutes les femmes de la cour. Qu'il joue un rôle assez louche dans l'Affaire du collier, avant de disparaître en Russie. Et puis ceci : « A partir de 1801, je ne comprends plus rien à sa conduite. Ce ne sont pas les documents qui font défaut :

lettres, fragments de mémoires, rapports secrets, archives de police. J'en ai presque trop, au contraire. Ce qui manque, dans ces témoignages, c'est la fermeté, la consistance. Ils ne se contredisent pas, mais ils ne s'accordent pas non plus ; ils n'ont pas l'air de concerner la même personne... »

Et ceci : « Ah ! Il aurait fallu connaître son regard, peut-être avait-il une façon charmante de pencher la tête sur son épaule, ou de dresser d'un air malin son long index à côté de son nez, ou bien, quelquefois, entre deux mensonges polis, une brève violence qu'il étouffait aussitôt. Mais il est mort : il reste de lui un *Traité de Stratégie* et des *Réflexions sur la vertu.* »

Ce Rollebon, donc, ne tient pas le coup, c'est une sorte de Norpois, il est inconsistant, léger, pompeux, contradictoire, peu importe, finalement, de savoir dans quelles intrigues il a été impliqué (Napoléon, le comte d'Artois, un « commerce de fusils avec les principautés asiatiques »). Avec lui, l'érotisme que l'on peut prêter au XVIIIe siècle *tombe* dans le XIXe et aggrave sa disparition au XXe. Ce n'est pas par hasard si Sartre, dans son roman, cite les passages les plus niais d'*Eugénie Grandet*. Les dialogues des habitants de Bouville, en 1932, sont les mêmes que ceux des personnages de Balzac. Pourquoi cette pétrification dix-neuviémiste ? Pourquoi Flaubert et *Madame Bovary* ? Pourquoi le refuge illusoire dans l'art et la fascination de la Bêtise ? D'où viennent cet effondrement satisfait, ce désenchantement général ?

Degré zéro du désir : « J'ai dîné au *Rendez-vous des Cheminots*. La patronne étant là, j'ai dû la baiser, mais c'était bien par politesse. Elle me dégoûte un peu, elle est trop blanche et puis elle sent le nouveau-né. Elle me serrait la tête contre sa poitrine dans un débordement de passion : elle croit bien faire. Pour moi, je grappillais distraitement son sexe sous les couvertures ; puis mon bras s'est engourdi. Je pensais à M. de Rollebon : après tout, qu'est-ce qui m'empêche d'écrire un roman sur sa vie ? J'ai laissé aller mon bras le long du flanc de la patronne, et j'ai vu soudain un petit jardin avec des arbres bas et larges d'où pendaient d'immenses feuilles couvertes de poils. Des fourmis couraient partout, des mille-pattes et des teignes... »

Degré zéro de l'art : le musée de Bouville est plein de croûtes réalistes et académiques, célébrant des salauds bourgeois, conformistes, « humanistes » ou pseudo-socialistes. Ou alors, c'est, dans « la cour des Hypothèques » (« Les Bouvillois en sont fiers parce qu'elle date du XVIIIᵉ siècle »), la statue de l'inspecteur d'académie Gustave Impétraz, auteur de *De la popularité chez les Grecs anciens* (1887) et d'un *Testament poétique* (1899). « Des dames en noir, qui viennent promener leurs chiens, glissent sous les arcades, le long des murs. Elles s'avancent rarement jusqu'au plein jour, mais elles jettent de côté des regards de jeunes filles, furtifs et satisfaits, sur la statue de Gustave Impétraz. Elles ne doivent pas savoir le nom de ce géant en bronze (...) C'est un peu comme si leur grand-père était là (...) Elles n'ont pas besoin de le regarder longtemps pour comprendre qu'il pensait comme elles, tout juste comme elles, sur tous les sujets. Au service de leurs petites idées étroites et solides, il a mis son autorité et l'immense érudition puisée dans les in-folio que sa lourde main écrase. »

Un XVIIIᵉ siècle recouvert et inaccessible, un XIXᵉ plombé, mélancolique, prolongé par des grands-pères en bronze et des « dames en noir », la Nausée, en dessous, qui guette, on est bien dans une sorte d'enfer et de voyage au bout de la nuit que confirment la boucherie de 1914 et les charniers de 1940. Il faudra la chute récente du mur de Berlin (expression qui, finalement, dit tout) pour qu'un étau deux fois séculaire se desserre. Profitons-en. Et revenons en 1789 à Venise, à Vivant.

Au fond, ce dont il a envie, là, tout de suite, à quarante et un ans, *c'est de ne rien faire.* Ou presque. Mener sa vie philosophiquement (« philosophe », à l'époque, voulant dire « épicurien », athée, subversif, suspect) consiste à dormir, manger peu, dessiner, graver, se perfectionner, respirer autant que possible le Temps qui a trouvé l'espace qu'il faut : cette ville-là, cette mer-là, ce soleil-là, ces matins-là, ces soirs-là. Venise ne va nulle part. Les préjugés contre elle n'ont pas encore cours (tiens, Sartre n'aime pas Venise, ville visqueuse à ses yeux, il préférait Rome), et surtout pas le dernier, peut-être le plus ridicule : fébrile émerveillement de commande, ostentation « culturelle », mondanité de décor. Venise est une ville à la dérobée, une parenthèse de profond silence, ou rien. On n'en finirait pas de relever, sur ce sujet, les vulgarités acharnées et les contresens allant de l'angoisse à la haine.

Deux romans sur la *discrétion* de Venise à la fin du XXe siècle ? *Le Cœur Absolu* et *La Fête à Venise* : les phrases y sont écrites d'*une certaine façon,* et les thèmes ne sont pas sans raisons ceux de la clandestinité et de la société secrète. Vivant Denon apparaît d'ailleurs, en même temps que Watteau, dans le deuxième livre. Forcément.

Cet homme est la *réserve* même : pas étonnant qu'il ait eu l'idée du plus grand musée du monde. Dans sa vie privée, retrait. Être, par exemple, célibataire *à ce point,* voilà qui aurait dû attirer l'interprétation plus ou moins malveillante. Eh bien, non, rien. Tout le monde s'accorde plus ou moins pour lui accorder un maximum d'aventures féminines. Mais lesquelles ? Mystère. Pas de traces, pas de correspondance, sauf celle avec la comtesse (mais elle reste dans le registre tendre, ironique, auto-ironique et, pour finir, paternel).

Qui est donc cette Mme Montchevrel dont nous n'apprenons l'existence qu'au détour de son interrogatoire par l'Inquisition ? Cette amie de Paris qui lui écrit souvent à Venise, mais sans jamais parler de politique, bien entendu, et qui, d'ailleurs, est partie pour Londres ? Non, il n'a plus de ses nouvelles, c'est regrettable. Mais où sont les autres ? Encore une fois, question des Inquisiteurs : « Est-il marié ? » Réponse : « Non. Je n'ai jamais pris femme et je vis content de ma liberté. »

Le policier Benincasa est précis : « M. Denon, dit-il, est habitué à dormir le matin jusqu'à environ dix heures. Chaque jour viennent chez lui pour s'exercer avec lui à l'étude du dessin trois personnes, Costantin Cumana, Francesco Novelli et G. Sardi. S'il sort de chez lui le matin, ce n'est que tard. Il se promène sur la place (Saint-Marc) on va chez la noble Mme Marini (la comtesse Albrizzi), quelquefois il s'arrête pour parler avec des Français. Après dîner (déjeuner), les mêmes personnes retournent à leur même travail, mais pour peu de temps.

« A sept heures, le perruquier vient le coiffer, et à huit heures du soir il a l'habitude de sortir de chez lui, il va à San Marco, parfois chez la même noble dame. Il salue beaucoup de patriciens. Un soir, dans la Frezzeria, il a quelque peu causé avec le procurateur Memmo. Il est client au café *Alle Rive*. Il parle à tous les habitués, mais surtout avec le noble P. Vallaresso et M. Costantin Zacco. A l'avenir, je ne manquerai pas de l'observer avec attention. »

La déposition de ses élèves confirme qu'il se lève tard. « Il nous laisse toute liberté de circuler chez lui comme il nous plaît, nous lui faisons voir nos travaux, il nous suggère des corrections et se divertit à causer de cet art. » Ah, voici : « Je ne l'ai jamais entendu parler de la présente Révolution de France. A divers indices, je comprends qu'il est partisan du Roi, d'autant que mes camarades m'ont dit qu'il a perdu la moitié de ses revenus en raison des troubles actuels. » Et, de mieux en mieux : « Il a environ quarante ans, semble bon catholique, il a eu occasion de dire que la France a toujours été très chrétienne et que c'est elle qui a élevé le pape. » Vivant « bon catholique » ? *Évidemment.*

Voilà de très bons élèves, et qui, indubitablement, vont faire de rapides progrès en *dessin.* Le fait d'insister sur la perte éventuelle de « revenus » est habile : Vivant donnait en effet ses leçons gratuitement, ce qui ne pouvait que paraître étrange. Il s'explique d'ailleurs lui-même sur la façon dont ses revenus lui parviennent, à travers quel banquier (Reverdini) : « Je lui ai été adressé dès le début par M. Zamboni, banquier à Paris, auquel mes locataires et autres débiteurs versent mes revenus, dont il se rembourse. »

Le deuxième élève précise que M. Denon, « graveur célèbre, qui travaille par plaisir », a chez lui « une vieille qui garde ses affaires et parfois lui fait la cuisine ; mais le plus souvent, il se sert chez un traiteur de la calle dei Fabbri, qui lui porte son repas ». L'argent ? Mais oui, les terrains de Bourgogne, le vin. Ah, voici un visiteur : « Il vient quelquefois le secrétaire de France, Hennin, *qui est très amateur de gravure sur cuivre* (je ne résiste pas au plaisir de souligner) et vient étudier les nouvelles œuvres de Denon et les nôtres. » Mais attention : le jacobin Hennin n'est pas le seul à être venu. La duchesse de Polignac également qui « elle aussi étudie le dessin » (la duchesse représente le parti de l'émigration, comme on voit tout le monde est passionné d'art). La comtesse Albrizzi ? Mais c'est elle aussi une « virtuose ! »

Le troisième élève est parfait lui aussi : « Je ne lui ai jamais parlé des révolutions actuelles de la France, parce que je l'ai vu affligé par la lecture de lettres qu'il recevait de son pays, et je l'ai entendu prononcer ces paroles textuelles : quelle grande irréligion il y a dans mon pays ! » Comment ne pas être ému ? Mais il faut la touche morale. La voici : « Il a de bonnes mœurs ; je ne lui connais point de vices ni qu'il ait causé le moindre scandale, car toutes ses pensées sont tournées vers le dessin et la gravure qui sont ses seuls plaisirs. »

Attention, je ne dis pas que tout cela n'est pas vrai. C'est parfaitement vraisemblable et a été vérifié par des gens qui connaissaient leur métier. On voit ce qui les intéresse. Étonnant Vivant : irréprochable. Pour quelqu'un qui, trois ans plus tard, aura une entrevue nocturne, aux Tuileries, avec Robespierre en personne, ce n'est pas mal.

L'interrogatoire de Vivant Denon par « MM. les Illustrissimes et Excellentissimes Inquisiteurs d'État » et les autres pièces de la procédure sont conservés à Venise, *Archivio di Stato, Inquisitori, Processi, 1240.* L'interrogatoire proprement dit a lieu le 12 août 1790.

Vivant raconte sa vie, la Bourgogne, Saint-Pétersbourg,

Naples, Vergennes. Pas question, bien entendu, du *Voyage en Sicile* et il est peu probable qu'il ait, dans ses tiroirs, une édition de *Point de lendemain*. Tout ce qui l'intéresse (et, encore une fois, c'est vrai) ce sont les beaux-arts, le dessin. Il pourrait aller voir le cardinal de Bernis à Rome mais « je désire plutôt dessiner en repos sans vagabonder ailleurs ». Vous comprenez, « je serais déjà rentré dans ma patrie si je n'avais reçu les affligeantes nouvelles des révolutions survenues en France ; ce qui, étant contraire à mon goût de la tranquillité, m'a fait décider de m'arrêter à Venise jusqu'à la fin de ces troubles ». Hum, hum. Ici, pour la police, il faut des noms. En voici, rien que du beau monde : Memmo, Querini, Soranzo et même, voyez-vous, ça me revient à l'instant, Azolo Molin, le propre frère de l'Inquisiteur. « Tous m'accueillent avec beaucoup de bienveillance toutes les fois que je vais les visiter ; souvent ils m'ont honoré de leurs visites dans ma maison (...) Je passe régulièrement mes soirées dans la maison du noble vénitien Marin, calle delle Ballotte, où avec lui et ses amis le temps se passe en conversation ; on cause littérature dont je suis amateur, et enfin, après minuit, toute cette compagnie va chaque soir passer une heure au café *Alle Rive*. »

Et la comtesse ? Quoi, la comtesse ? Vous n'y pensez pas.

« J'ajoute (chers messieurs) qu'il m'arrive souvent d'aller dîner chez les trois ambassadeurs de France, d'Espagne et de Vienne, parfois aussi chez le ministre russe et chez ceux des autres cours. »

Pour parler de littérature, cela va de soi.

« Avez-vous entendu parler de la Compagnie de propagande ?

— Ah oui, ces Français qui correspondent avec des personnages hors de France ? Quoique je n'aie aucun motif d'attendre de telles lettres, j'ai fermement résolu de moi-même, dans mon esprit, de les porter – s'il m'en arrivait jamais – aux excellents MM. les Inquisiteurs d'État personnellement. »

N'en doutons pas.

« Ah, j'oubliais : je suis très bien connu du secrétaire du Conseil des Dix, Gasparo Soderini, avec qui j'ai fait connaissance à Naples pendant que j'y exerçais l'emploi de chargé d'affaires de France et qu'il y était président vénitien. »

Faut-il en dire plus ? Pas vraiment, n'est-ce pas ?

Dernière ligne du compte rendu de l'interrogatoire : « Il fut congédié et averti d'avoir à se taire. »

Le 24 mars 1793, Vivant ira spontanément voir le secrétaire de l'Inquisition pour lui réaffirmer son goût de la tranquillité : « il hait et déteste les causes des malheurs de sa patrie », et, « pour n'être pas considéré comme émigré – confiscation des biens –, il est contraint de faire sa cour au ministre de France ». D'une façon ou d'une autre, il a donc appris que ses relations avec Hennin le rendent de plus en plus suspect. Il en rajoute : « Il dit qu'il a fait venir de France ses meubles les plus précieux, dans la pensée de s'établir dans ce tranquille séjour où il compte par amour de la paix rester tant qu'il pourra, et s'il pouvait y transporter tous ses biens, il le ferait volontiers. »

Mais voici maintenant Hippolyte Delaporte, émigré. Tout de suite, il dénonce Denon comme un fourbe dangereux, un espion correspondant avec la police de la Convention. « C'est (Denon) un homme douteux, il correspond avec l'Assemblée, correspondance peut-être plus utile que toute autre, vu ses relations dans la noblesse vénitienne... D'ailleurs Delaporte a déjà éprouvé son caractère double dès le temps où il était à Naples comme secrétaire de légation. »

Tout va vite : Vivant est un agent *per genio giacobino*, il est l'homme des factieux et enfin « ses relations féminines doivent lui servir à pénétrer les secrets politiques du Sénat ». D'ailleurs, on lui adresse tous les Français criminels. En plus, il fait un bon commerce de vins, il « trafique supérieurement ». La fin de cette comédie, en réalité dangereuse, est obscure. Aucune trace, dans les dossiers, de la façon dont Vivant a quitté Venise. Expulsion sèche ? Arrangement ? Que devait-il faire exactement au cœur de la Sérénissime ? Constituer un *réseau dormant* ? Rester à tout prix – et puis, non, il faut rentrer, une autre pièce commence ? Voilà un homme dont le « goût pour la tranquillité » sera violemment perturbé. Aucun doute, cependant, il devra s'adapter, comme d'habitude.

Pour mieux imaginer la vie de Venise à la fin du XVIIIe siècle, dans les dernières années de la République, il faut lire ce livre étonnant : *Les Agents secrets de Venise*, de Giovanni Comisso. L'auteur raconte, dans sa préface, comment il a publié ces documents en 1941, en pleine période fasciste. Il eut bientôt à faire avec la censure mussolinienne pour avoir découvert et publié une lettre d'un des meilleurs agents vénitiens de l'époque des Inquisiteurs, Manuzzi (un virtuose de la dénonciation), à propos d'un certain Juif du nom de Moïse Mussolin, lequel avait pris parti pour les Prussiens et suscitait maintes discussions sur la place Saint-Marc. Comisso dut changer le nom de *Mussolin* en *Massarin* et supprimer le mot *juif*.

Merveilles de l'Histoire dans sa trame. Tous les régimes au bord du gouffre multiplient les opérations de police et favorisent la délation, mais « pour rien », si l'on peut dire. Dans *Le Cœur Absolu*, je me suis amusé à montrer l'amusement de Casanova jouant ce jeu ambigu, dénonçant le trafic des publications interdites (Voltaire, Rousseau, Diderot, Crébillon fils) : « De nombreux livres, par leur libertinage effréné, paraissent avoir été écrits pour exciter, au moyen de récits voluptueux et lubriques, les mauvaises passions engourdies et languissantes. » C'est un connaisseur qui parle, et qui, la même année (1781), dénonce aux Inquisiteurs (probablement intéressés) « l'Académie des peintres » : « Les étudiants en dessin se réunissent là pour prendre des croquis, en diverses attitudes, d'un homme ou d'une femme nus, selon les soirs. »

D'autres exemples ? En 1777, déjà, l'agent Andrioli décrit un « repas de Francs-Maçons » : « Ledit repas a lieu avec tout le secret possible, les portes et les fenêtres étant closes du côté de la *fondamenta* (de la rue en bordure de l'eau)... les gondoliers pensent qu'il s'agit de choses importantes. » L'agent Corner, le 30 mars 1789, dénonce un jeune noble sodomite, et le 1er avril une femme qui pratique, elle aussi, la sodomie (ce Corner suit son idée, en somme). Le même Corner, décidément en verve, un mois plus tard, régale les Inquisiteurs d'une scène entre un moine et une fille publique : « Ils se dévêtirent et se mirent tout nus : puis, après s'être fait flageller par la femme avec un fouet à cordes, l'homme s'étendit à terre, accomplissant des choses répugnantes ; ils terminèrent leurs ébats par une série d'actes horribles, indignes d'être décrits. » On imagine l'Inquisiteur : « Mais si, Corner, soyez plus précis dans vos rapports. »

L'agent Tamiazzo, lui, tombe sur quelque chose probablement de plus important et qui n'est pas sans rapport avec Vivant. Nous sommes en octobre 1790. « Un certain marquis Vivaldi, Romain, est arrivé ici... On dit qu'il est un des maîtres du fameux comte Cagliostro qui se trouve depuis longtemps dans les prisons de Rome... On dit qu'il vient ici pour réunir la compagnie dite des Illuminés qui est une espèce de Franc-Maçonnerie dont les membres seraient très nombreux. »

L'agent Lioni, en revanche, a dans son viseur « le Seigneur Iseppo Vivante appartenant à la religion hébraïque ». « Il tient un *casino* meublé, avec de superbes estampes qui comportent une grande variété de sujets, tant profanes que sacrés, et quelques-unes lascives. Il possède en outre une splendide librairie de livres modernes, c'est-à-dire des œuvres de Rousseau, de Voltaire et surtout de Baffo. Il est dans ce domicile servi jour et nuit par un domestique chrétien, qui s'appelle Antonio Silvestrini, qui couche aussi dans ledit casino à part de son patron, toutes choses, d'après ce qu'on dit, qui sont contraires aux lois. » Toutes les hantises sont ici rassemblées : Juif, estampes lascives, livres érotiques (Baffo), richesse, pouvoir.

Le soir du 22 novembre 1791, l'agent Giovan Angelo Spadon ne s'est pas ennuyé : il a vu une danseuse « vêtue de la manière la plus scandaleuse ». « Son costume consiste en bas et caleçon de maillot, bien ajusté, de couleur chair, avec un voile court et transparent qui lui sert de manteau, au travers duquel se devine sa nudité. » Quelle horreur ! « Elle est très applaudie par les gens les plus dissolus et blâmée par les gens raisonnables. »

Benincasa est un des agents chargés de Vivant. Le voici aux aguets, le 10 mai 1792 : « Une dame du nom de Iaci est arrivée hier soir et a pris logement à " La Reine d'Angleterre " » sur le canal... De divers côtés on évoqua à voix basse l'histoire qui s'est passée autrefois, dans ses différentes versions, et de laquelle, outre le complice Las Casas, nous avons ici un témoin et un spectateur fort informé en la personne de Denon. » La Iaci vient de Naples. « Elle passe, auprès de tout le monde, pour être une femme de grand esprit et acuité, connaissant bien les Cours et leurs intérêts. »

Petite nouvelle à écrire : soirée de printemps à « La Reine d'Angleterre » entre Denon et Iaci. Une nuit entière ? Peut-être.

Les choses deviennent plus graves lorsque l'agent Apostoli, le 4 mai 1793, informe les Inquisiteurs qu'une gravure représentant le commandant de la Garde nationale française, Santerre, a été mise en vente au magasin Zatta, à deux pas de chez Denon. « Sous le niais et ridicule portrait de Santerre, se trouvent les mots suivants : " Chef et citoyen de la République française. " » Satire ? Apologie ? Provocation ? Étrange.

Il faut dire que, bientôt, un certain général Bonaparte va conduire jusqu'ici les soldats de l'An II. Pour juger de l'effet produit sur des siècles de stabilité, lisons le tract publié contre lui dans toute la Vénétie :

« Je crois que Bonaparte est l'ennemi du ciel, le destructeur de la terre, notre unique traître, lequel fut conçu de l'Esprit malin, naquit d'une femme adultère, promu au grade de général, est descendu en Italie (...) Je crois à l'Esprit saint, qui veillera sur l'Église Catholique, mettra un terme aux dissensions en France, bénira l'armée autrichienne, donnera aux bons la résurrection de la chair et aux méchants Jacobins la mort éternelle. Amen. »

C'est sûr : si on en est là, c'est que Bonaparte, du moins pour l'instant (et pour longtemps), va gagner la guerre.

Ses cinq ans à Venise vont être les souvenirs les plus heureux de Vivant. Nous en avons un témoignage particulièrement précieux dans les *Mémoires d'une portraitiste* d'Élisabeth Vigée-Lebrun qui, par ailleurs, a réalisé un merveilleux portrait d'Isabelle Albrizzi. La comtesse? Une cerise noire rebondie au décolleté généreux, une femme d'intelligence et d'appétit. Un charme. Vigée-Lebrun aura eu ainsi successivement, au bout de son pinceau, Marie-Antoinette et elle.

« Je brûlais de voir Venise, j'y arrivai la veille de l'Ascension (1792). Quoi qu'il m'eût été dit jusqu'alors sur l'aspect extraordinaire de cette ville, mes yeux seuls m'en donnèrent la juste idée.

« M. Denon, que j'avais connu à Paris, vint me voir aussitôt. Son esprit et ses grandes connaissances dans les arts faisaient de lui le plus aimable cicerone, et je me réjouis beaucoup de cette heureuse rencontre. Dès le lendemain, jour de l'Ascension, il me conduisit sur le canal où se faisait le mariage du doge avec la mer... »

On connaît le rituel : le doge, monté sur le *Bucentaure*, jette un anneau dans l'eau, et ensuite on rentre et on dit une messe. Le *Bucentaure*? Il faut le regarder, ce grand navire fou, dans le tableau célèbre de Francesco Guardi qui meurt, à quatre-vingt-un ans, l'année même (1793) où Vivant quitte Venise. Ils ont pu se rencontrer. Vivant a pu aussi connaître le fils du grand Tiepolo, Giandomenico.

« Le soir, continue Vigée-Lebrun, nous allâmes voir la lutte des gondoliers. On ne saurait se faire une idée de l'adresse et de l'activité de cette espèce d'hommes. Plus tard la place Saint-Marc fut illuminée, ainsi que la foire qui l'entoure. L'illumination et la foire durent pendant quinze jours. »

« Le lendemain, M. Denon me présenta à son amie, Mme Marini, qui depuis a épousé le comte Albrizzi. Elle était aimable et spirituelle. Le soir même, elle me proposa de me mener au café, ce qui me surprit un peu, ne connaissant pas l'usage du pays ; mais je le fus bien davantage quand elle me dit : " Est-ce que vous n'avez point d'ami qui vous accompagne ? " Je répondis que j'étais venue seule avec ma fille et ma gouvernante. " Eh bien, reprit-elle, il faut au moins que vous ayez l'air d'avoir quelqu'un ; je vais vous céder M. Denon, qui vous donnera le bras, et moi je prendrai le bras d'une autre personne ; on me croira brouillée avec lui, et ce sera pour tout le temps que vous serez ici ; car vous ne pouvez pas aller sans ami. " »

Scène étonnante, et qui peint très bien la comtesse. La suite n'est pas moins intéressante : « Tout étrange qu'était cet arrangement, il me convint beaucoup, puisqu'il me donna pour guide un de nos Français les plus aimables, *non sous le rapport de la figure, il est vrai, car M. Denon, même très jeune, a toujours été assez laid, ce qui, dit-on, ne l'a pas empêché de plaire à un grand nombre de jolies femmes.* Quoi qu'il en soit " mon ami " me conduisit d'abord au palais pour voir les chefs-d'œuvre que Venise possède, et qui sont en grand nombre. » (C'est moi qui souligne.)

Oh Élisabeth ! Quelle imprudence ! Eh non, Vivant n'est pas « laid ». Que vous ne vouliez pas passer aux yeux de la postérité comme l'ayant eu pour amant à Venise, soit. Mais pourquoi cette pointe de jalousie sur le « grand nombre de jolies femmes » ? L'offre d'Isabelle n'était-elle pas gracieuse ? Votre fille et votre gouvernante n'auraient-elles pas pu fermer les yeux ? Votre grand talent était-il obligé de feindre la pruderie ? L'avez-vous senti trop « philosophe » pour vous ? Sans doute.

Vivant, toujours généreux, propose à Vigée-Lebrun d'exposer chez lui son tableau *La Sibylle*. Et puis, il lui demande, donc, de peindre Isabelle. Commentaire un peu pincé de Vigée-Lebrun : « Je pris grand plaisir à peindre cette jolie femme, attendu qu'elle avait infiniment de physionomie. »

Plus tard, « M. Denon », toujours obligeant, arrangera ses affaires avec Napoléon. Quoi, vous m'avez trouvé plutôt laid à Venise ? Ce n'est pas gentil.

Dix ans plus tard, en 1803, un amant provençal d'Isabelle, d'Arbaud, qui rencontre Denon à Paris lui en fait ce portrait (Vivant a alors cinquante-six-ans) :

« Il a dû souffrir de son voyage en Égypte et du travail énorme dont il a été chargé ainsi que de son ouvrage sur l'Égypte. Je ne peux pas dire s'il a vieilli ne l'ayant pas vu auparavant. Il se porte à merveille et son esprit influe tellement sur sa physionomie que je défie la femme la plus difficile de le trouver laid et en un mot de faire attention à son peu de cheveux, au déficit de ses dents et à sa maigreur ; ses yeux sont plein de feu, sa physionomie est agréable et sa toilette toujours très recherchée lui donne très bonne mine. »

La malveillance ici, plus enveloppée, se porte (mais il s'agit d'un homme qui, en somme, parle d'un rival) sur les cheveux et les dents. En général, plus Vivant vieillira, plus les témoins insisteront sur sa ressemblance avec Voltaire. Tous les esprits libres finissent plus ou moins par ressembler à Voltaire, c'est connu.

Quand Isabelle Albrizzi, soucieuse de sa gloire, parlera de son amant « officiellement » cela n'ira pas sans rhétorique :

« Une grande et belle action élève son âme, une scène émouvante l'attendrit, et un caractère ridicule provoque en lui cet invincible amusement d'innocente malice qui n'est rien d'autre, en fait, que le sens du goût joint au beau. Toujours vrai, naturel, s'il te loue, tu peux avec assurance goûter ses louanges, car il te doit de devoir les croire. Si, parfois, il se trouve en péril de flatter ou d'affliger, il saura s'en tirer, sans aigrir autrui ou se déplaire à lui-même. » On l'a compris : l'aimable comtesse est installée dans une galerie, elle fait *visiter*, elle a d'ailleurs eu un fils, tout est en ordre.

En septembre 1833, Chateaubriand est à Venise :
« Après le dîner, je me suis habillé pour aller passer la soirée chez Mme Teotochi Albrizzi, le spirituel auteur des *Ritratti* qui a si vivement loué M. Denon à une époque de voyageurs où mon nom était connu à peine. M. Gamba avait résolu de me pésenter à la célèbre *Signora* (...) Mme Albrizzi est une vieille dame aimable, à visage d'imagination (...) Elle m'a raconté tout Lord Byron ; elle en est d'autant plus engouée que Lord Byron venait à ses soirées (...) Jamais on ne l'a vu se promener sur la place Saint-Marc, tant il était malheureux de sa jambe. Mme Albrizzi prétend que quand il entrait dans son salon, il se donnait en marchant un certain tour au moyen duquel il dissimulait sa claudication (...) Mme Albrizzi m'avait, disait-elle, vu dans l'amphithéâtre de Vérone et prétendait m'avoir distingué au milieu des Rois. De ce compliment si beau, j'ai été si abasourdi, que je me suis retiré à onze heures au grand ébahissement des Vénitiens. »
La comtesse Albrizzi suit les modes. La comtesse Albrizzi tient son salon. Byron a dit d'elle qu'elle était « la Mme de Staël de l'Italie ». Ce n'est pas rien. Chateaubriand, une fois de plus, trouve l'expression qui condense : « visage d'imagination ».

Vivant, lui, dans ses lettres, l'appelle Bettine : « Chère Bettine, il me semble que je viens de te parler comme dans ces bons après-dîners, où, après avoir discuté, disputé même, nous nous aimions tant. » Ou encore (en 1807) : « Écris-moi parce que d'ici (Berlin) cela m'arrive partout. Au reste il suffit que tu mettes la lettre à la poste pour qu'elle m'arrive jusqu'à la Chine ; il semble que le ciel même veille sur notre attachement et que le sort soit chargé de le soigner. » En 1812 : « Chère Bettine, je n'ai pour perspective, au lieu du bonheur, que le vague de l'espace et du temps, et, quand tu recevras ma lettre, je serai peut-être déjà errant dans les grandes routes et dans celles des traversées. Tout ce que je vois de plus gracieux dans l'avenir de nos mouvements c'est que bien sûrement nous finirons par faire un voyage au-delà des Alpes. » Une autre fois : « Aime-moi, c'est-à-dire ne me soupçonne pas, crois que j'ai de petites affaires par-dessus les yeux et que si cela m'empêche de te dire que je t'aime bien tendrement, cela ne m'empêche pas de l'éprouver bien vivement et à tout moment. »

Et encore : « Te souviens-tu, chère amie, quand nous étions dans cette triste chambre où on montait par ce vilain escalier, où il faisait si froid, où nous étions contents de nous, c'est qu'il existe un soi qui, lorsqu'on sait le respecter, est indépendant, inattaquable, et qu'il a encore un aplomb dans les orages, dans les tremblements de terre. Eh bien, en vérité, ce n'est chez moi que de l'instinct, dont ton aimable intérêt me fait raisonner avec toi, toi toute seule... » (1814).

En 1816 : « Plus on a été répandu en temps de faveurs, plus on doit se tenir en mesure pour ne pas s'apercevoir du contraire, et voilà où je suis. Ce pays-ci (Paris) est charmant pour cela parce que personne ne s'inquiète de ce que vous avez fait hier et, pourvu que vous soyez estimable, on vous reçoit à peu près avec le même plaisir (...) J'ai perdu mon aisance, mais j'ai gardé le nécessaire qui m'appartient. J'ai perdu une mode, on m'en a donné une autre. Je ne me soucie pas plus de l'une que de l'autre ; je conserve une gaieté de caractère imperturbable, parce que je crois qu'elle est fondée sur la pureté et une estime dont j'ai conservé l'exercice et dont on n'a pu me demander ni me donner la démission. »

Et en 1824, un an avant sa mort (il a soixante-dix-sept ans) : « Il est sûr, chère amie, que nous nous aimons beaucoup plus que nous ne le disons : c'est un secret pour nous que toute l'Europe sait, mais personne ne sait que nous ayons à nous blâmer sur cela ; gardons donc notre secret et faisons mieux à l'avenir... Adieu, chère amie, je vous embrasse et vous serre contre mon cœur. Denon. »

Une amie, à qui je montre ces lettres, me les rend sans rien dire, mais je vois des larmes vite réprimées dans ses yeux.

On ne doit pas imaginer Venise, à l'époque, comme relevant de la « mise en valeur » (musées ou églises). Tout se passe un peu au hasard, dans un délabrement souvent pénible. Chateaubriand, pour voir l'*Assomption* du Titien, devra faire des efforts, le tableau, accroché trop haut, sans lumière, étant presque invisible. Tout est ainsi, plus ou moins sale, enfumé, caché. L'idée d'*extraire* des chefs-d'œuvre à un environnement qui les ignore ne peut donc que germer dans un esprit lucide. C'est à Venise, il me semble, que Vivant a eu la révélation d'un temple de la contemplation. Ce sera le Louvre.

165

Il est difficile de dénombrer tout ce qu'il a acheté pour lui-même; sûrement, on le sait, la collection du cabinet Zanetti : «Je ne pouvais tout acheter, mais quarante dessins du Parmesan, soixante du Guerchin. J'offris une somme déterminante de la moitié de ces objets : je fus regardé comme un fou, et dès lors tout ce qui restait à Venise de trésors partiels en ce genre me fut proposé et acheté. »

Du vin transformé en art, voilà une transsubtantiation évidente. Le bourgogne de Vivant Denon n'attendait que cela.

Il y avait, chez Zanetti, graveur et banquier remarquable, des Lucas de Leyde, des Callot, des Rembrandt. Vivant va les copier beaucoup, comme pour mieux les regarder, les scruter, s'étonner à chaque instant qu'ils soient si peu vus et connus. On peut s'en persuader en consultant les deux beaux volumes rassemblant tout l'œuvre dessiné et gravé par Vivant (y compris les planches de l'Expédition d'Égypte) : *The Illustrated Bartsch*, Dominique Vivant Denon, Abaris Books, New York, 1985.

Notre cavalier revenant, à la fin du XXᵉ siècle, par New York? Bien sûr.

— Mais enfin, me dit une amie philosophe, quel intérêt de faire, à l'époque, de l'espionnage à Venise?

— Il y a probablement un peu de tout. L'Italie n'existe pas encore. Quoique très affaiblie, la République vénitienne reste un port important, une place bancaire internationale. Les questions maritimes sont familières à Denon depuis Naples et Saint-Pétersbourg. Il y a toujours les espoirs russes de percée en Méditerranée. Fondamentalement, le problème est anglais. L'expédition française d'Égypte vise d'abord l'Angleterre. Faisons une place à Lady Hamilton, courtisane de haut vol, dont les poses suggestives et mythologiques, si bien dessinées par Vivant, nous conduiront jusque dans le lit de l'amiral Nelson. Donc, la Banque ; la Navigation commerciale et militaire ; l'Intrigue, grande et petite, passant par les ambassades : l'Économie, quoi.

– Et Denon, d'après toi, s'occupait de tout ça ?

– Il me semble. Naturellement. Les choses devaient venir à lui presque d'elles-mêmes.

– Pour le compte de qui ?

– Cela a dû dépendre des situations. Les « philosophes », c'est clair, rêvent d'un gouvernement parallèle transnational. C'est d'ailleurs la politique constante de Vivant. Il est là, il accompagne, il « ponctue ». Sa vision est d'abord celle de l'art, l'art de vivre, aussi bien. Cette vision, sous ses apparences de dilettantisme, est une expérience intérieure profonde. Il est très européen, mais bizarrement patriote. Il a sa France à lui. Napoléon lui apparaîtra sûrement comme une nécessité ou une fatalité historique. Tu sais, « l'Esprit du monde » que Hegel voit passer à cheval sous ses fenêtres, en 1806, après la bataille d'Iéna. Penchons-nous encore un peu : le cavalier Denon est là, tu vois, juste à côté de l'Empereur, sur la gauche.

– Le sens de l'Histoire ?

– Un sens très particulier. Après tout, l'Histoire est une invention grecque, puis française. Cela ne veut pas dire qu'elle ne soit pas constamment mal conçue et mal enseignée, réduite à des stéréotypes ou à des images conventionnelles, *incarcérée*, en somme, dans des a priori providentialistes, messianiques ou mécanistes. Si l'ignorance au sujet de l'Histoire devient, ces temps-ci, tellement vertigineuse, il faut se demander les intérêts qu'un tel obscurantisme sert. La plupart des intellectuels collaborent malheureusement à cette régression. Vérifie, pose-leur des questions simples, élémentaires. C'est confondant. Brouillage des dates, des plans, des perspectives, des acteurs. Même chose dans la vie privée, et pour cause. Le déficit historique est énorme. D'où vient-il ? Mort de Dieu, ruine des Systèmes ? Marchandise de l'information instantanée ? Bourgeoisie coupable choisissant de se suicider ? Socialisme effondré, rongé par l'innommable ? Tout ça, tout ça. Cadavres dans les placards, placards dans les cadavres. Le résultat ? Cynisme et sentimentalisme, violence et décomposition, folie et sermons. Beaucoup de mauvaise littérature. Viens, allons voir la pyramide du Louvre.

– Denon l'aurait approuvée ?

– Elle est impensable sans lui. On devrait l'appeler *Le rêve de Denon* comme on dit *Le rêve de d'Alembert*.

– Elle a pourtant été réalisée, à la fin du XXe siècle, par un architecte chinois américain.

– Encore mieux. L'Histoire a un endroit et un envers, davantage d'envers que d'endroit, mais elle ne demande qu'à devenir évidente. A condition, bien sûr, de s'en mêler personnellement.

– Tu n'arrêtes pas de dire clairement la même chose dans tes romans. C'est ça qui ne leur plaît pas ?

– Mais oui, *ça*, la clarté, rien d'autre. Allons, viens.

L'œuvre inachevée et posthume de Vivant Denon, en quatre volumes, composée par son neveu Brunet et son biographe Amaury-Duval, s'intitule *Monument des arts du dessin*. Elle est destinée à « servir à l'histoire des arts ». Ce qu'il a accompli lui-même est plutôt un art nouveau, insolite, très personnel, qu'on pourrait appeler l'art de vivre au cœur de l'histoire, comme on dit : art poétique, art de la fugue, art du roman. Oui, un art caché de l'histoire, comme on devrait dire : l'art du Temps.

Le puritanisme est une drôle de chose. Il change de formes, fait semblant d'évoluer, se reconstitue, persiste. Il y a le religieux, mais il y a aussi le positiviste ou le communiste. Cachez ce sein que je ne saurais voir. Ou bien : non, le camarade Staline n'avait pas cet air banal de non-maréchal. Sade a été détenu sous tous les régimes, Freud condamné partout, Joyce idem. Le nom d'Igor Stravinski, le plus grand musicien du XXᵉ siècle, ne figurait pas dans l'*Encyclopédie Soviétique* des années cinquante : il s'est vengé en dirigeant sa *Symphonie de Psaumes* au Vatican, en présence de Paul VI. *Le Sacre du Printemps* en disait trop long sur le fond sacré du printemps ? Il faut croire.

Il y a ceux qui croient au sujet unique (sacré ou profane), et qu'on ne peut pas passer de l'un à l'autre avec la même main. Ceux, donc, qui ne comprendront jamais qu'une Assomption ou une Vénus à la fourrure soit du même individu : Titien. J'ai connu un psychanalyste qui, devant la sainte Thérèse du Bernin, à Rome, ne voyait que sainte Thérèse et pas Bernin. Le *Moïse* de Michel-Ange ne peut pas, dit-on, aller en Israël parce qu'il est trop nu et pas circoncis. Il suffirait, pourtant, de l'intituler : Fantaisie de Michel-Ange à propos de Moïse (Freud lui-même oubliait que Moïse n'était qu'une statue d'un certain Michel-Ange, et non pas la statue posée du prophète). Les excès des intégristes, islamiques ou autres, ont tendance à nous faire rire : nous avons tort. Le puritanisme est une précipitation du jugement, un *jet*. Il peut prendre la forme de l'exhibition pornographique et de l'obsession sexuelle *comme* celle de la réaction de voilement pincé forcené. Au fond, un puritain, ou une puritaine, c'est *l'anti-musée*, puisque, dans un musée, justement, on n'arrête pas d'aller d'un sujet à un autre. Dis-moi comment tu peux te glisser d'une représentation à une autre, je te dirai si tu es libre de vraiment penser.

Le dévot croyant traditionnel n'acceptera certainement pas qu'on expose *L'Origine du monde* de Courbet dans une église (et encore moins dans une synagogue, un temple ou une mosquée). Mais un dévot moderne (et il y en a des masses) sera très gêné si l'on met côte à côte *L'Origine du monde* et un Couronnement de la Vierge. Où est le problème? Justement.

Un musée c'est un feuilletage, un ensemble de degrés, des modulations, des étapes. On pouvait légitimement le concevoir, au XVIIIe siècle, comme un premier tableau d'ensemble de l'esprit humain. Mais il faudra, de plus en plus, s'habituer à toutes ces exceptions, à ces *noms* (même sans signature), qui signalent ce qu'on pourrait appeler les réussites de l'individuation. Les artistes ne se dévouent pas à l'ensemble humain, ils en sortent. C'est cela qui choque un refoulement de fond? Mais oui.

Le Puritain est avant tout quelqu'un (ou quelqu'une) qui répugne à cette conception des « coups heureux » de l'espèce humaine. Il veut du collectif. Donc de la fausse histoire. Une « Histoire de l'Art ». De même, il se rassure en se racontant qu'il y a une séparation bien nette entre écrire et vivre, travail et débauche, sexualité et pensée. Pour lui, ce doit être l'un ou l'autre. Le Puritain (ou la Puritaine) est clérical (ou cléricale) en ceci qu'il veut croire que les « artistes », inaptes à vivre « réellement » (la réalité, c'est lui, ou elle), sont, malgré tout, des sacrifiés utiles. Des rédempteurs rentables. L'artiste doit finir mal, son existence ne peut être qu'un puits de névrose ou d'enfer, il a expérimenté des choses dangereuses *pour nous*, il est devenu fou à notre place, on en tremble encore, c'est vraiment héroïque de sa part. Malheur à l'artiste qui laisserait entendre qu'il n'est pas candidat au martyre, ni au poste de saint laïque pour assurer de son mieux la rédemption communautaire. Le voilà trop anticlérical, que le clergé soit en uniforme ancien ou pas. Il y a toute une gamme de cléricaux : le religieux d'autrefois, le bourgeois, le progressiste, le militant, l'universitaire, le médiatique, le politique. Sur ce point précis, ils sont tous d'accord. Vérifiez.

Vivant, cela va sans dire, est aux antipodes de cette conception sacrificielle. S'il se met à graver *d'après* X, Y ou Z, c'est qu'il a l'impression (justifiée dans le tournant du siècle où il se trouve) que tous les chefs-d'œuvre qu'il a sous les yeux sont méconnus, mal répertoriés, scandaleusement négligés, en danger. Il est tombé sur un trésor évident que personne ne voit (il aura ce cri révélateur, quand les troupes alliées en 1814, reprendront des tableaux, volés après tout, à *son* Louvre : « Il leur manquera toujours des yeux pour les voir ! »). Lui, il veut à la fois posséder *et* avoir du plaisir. Attitude qui, en français, se désigne d'un mot : jouissance.

Le voilà donc au travail sur Titien, Le Guerchin, Rembrandt, Parmigiano, Corrège, Fragonard. Il se représente lui-même « à la Rembrandt » (c'est le peintre qui, peut-être, l'attire le plus). Il a vraiment « tous les genres ». C'est lui, un des premiers qui comprendra l'importance des Primitifs italiens.

Une Sainte Famille ? D'accord. Un Amour au désespoir ? Pourquoi pas. Une tête de Bacchante n'a pas moins d'intérêt que des philosophes lisant à la lumière d'une lampe. Cet Amour sur les épaules d'une jeune femme ne doit pas nous éloigner de la contemplation des paysages, gorge montagneuse, campagne sous le soleil. Et puis, il y a les visages des peintres. Les voici, ce sont *eux*. Mantegna, Léonard de Vinci, Masaccio, Raphaël, Rubens, Tintoret, Velasquez. Il y a des figures de rencontre, enfants endormis, soldats blessés, silhouettes féminines ou masculines, caricatures. Des cartes de visite ou de souvenir : le pont du Rialto, un gondolier se présentant devant une maison et demandant si le *cavaliere* Denon est là. Il y a ce « Aux Vénitiens » si révélateur, qui est un portrait allégorique d'un des protecteurs de Vivant, Angelo Memmo. Il y a, bien sûr, toutes les apparitions d'Isabelle, fraîche et décolletée. Et voici le plus troublant des portraits : celui de Mme Mosion, sombre, aiguë, rentrée, fin visage, énorme chapeau, oiseau de proie avec *foulard*. Un amour de Vivant, *gravé*.

N'oublions pas Anne-Dorothée, duchesse de Courlande. Et Lady Hamilton en Diane-Hécate, rien que ça. Vigée-Lebrun, le pinceau à la main. Une nouvelle à écrire ? Ce serait, par exemple, l'aventure de Vivant avec ces deux demoiselles anglaises, si *proches* l'une de l'autre et au nom prédestiné, les demoiselles Merry.

Partout, on sent le désir de récapitulation, d'appropriation. Faut-il « témoigner » ? On le fera, mais sans enthousiasme. Il y a bien entendu la gravure du *Serment du Jeu de Paume*, d'après David, qui vaudra comme passeport pendant la Terreur. Quelques orateurs de l'Assemblée ; un martyr de la Révolution (Le Peletier de Saint-Fargeau) ; des accusés du Tribunal révolutionnaire, Danton, Fouquier. Mais finalement, silence.

Les travaux obligatoires sont réservés à la fantaisie vestimentaire robespierriste, toujours d'après David. Il faut habiller le nouveau citoyen français régénéré. Le législateur, le représentant du Peuple en fonction aux armées, l'uniforme d'infanterie, le Juge, l'Officier municipal avec écharpe, l'habit civil du citoyen réquisitionné, à la romaine, plumet au chapeau, adossé à une cheminée. On voit le programme. L'Homme (tiens, les femmes ont disparu) doit être prêt à s'ériger, à s'exclamer, à proférer. C'est cette « mobilisation » que Bonaparte va utiliser bientôt vers l'extérieur. La seule solution, en effet, était la guerre. On sait qu'elle a pris, à partir de là, son ampleur.

Revenons aux autoportraits de Vivant. Ils sont tous là (sauf celui qui est en couverture de ce livre). En voici un, charmant, de 1780, en chapeau à plumes. Un autre, étonnant d'ironie, appuyé du coude – on ne se prive de rien – sur une statue de la Diane d'Éphèse toute dégoulinante de seins (le message est-il assez clair?). Un autre, en faune. Un autre encore, en train de dessiner, et puis un autre en chapeau, à la Rembrandt, tenant un porte-crayon (titre possible : le Voyageur sur la Terre). En 1812 (grande année, on est baron d'Empire, mais il y a le désastre de la campagne de Russie dans l'air), ce sera Vivant en redingote fourrée. Le voici encore, en manteau, insistant sur un curieux geste de la main droite : décision, prescription, monstration. Il ne manque même pas une charge contre soi : l'artiste voltairisé au lit, ahuri, en bonnet de nuit. Toute une population de Denon, bizarre.

Mais quoi, tout le monde attend ce qui n'est d'habitude qu'un chuchotement : les *Dessins priapiques*.

Les voici. De la pornographie ? Oui, mais décalée, insidieuse, souvent fantastique ou comique. Voyez cette expulsion du Paradis : c'est davantage une illustration pour le début de *Candide* que pour la *Genèse*. Quoi qu'il en soit, Adam et Eve, Adam pénétrant Eve par-derrière, sont chassés par un ange à coups de pied dans le cul. Le Serpent continue à méditer dans l'arbre du Bien et du Mal, il a fait son travail.

On passe à une démonstration emphatique de force, *Les noces des cinquante filles du Roy Festie*, le treizième des travaux d'Hercule. Hop, pénétration en l'air, saisie à bras-le-corps, performance de foire. Préférez-vous des satyres obèses occupés avec des jeunes filles, ou des faunesses obèses avec des jeunes gens ? Choisissez. Il faut s'arrêter sur cette offrande à Priape, en mémoire de Mme de T... Priape est encore là, statue déflorant une jeune fille qui lui présente ses fesses. Nous sommes dans des *Priapées*.

Voici deux couples d'amants se caressant, et un groupe obscène de deux hommes et deux femmes, d'après une peinture chinoise. Des groupes « lascifs » (deux jeunes gens ensemble, deux hommes et une femme) ont pour alibi d'être des copies de bagues trouvées à Naples, dans la tradition Pompéi. Une jeune religieuse rêve d'accouplement, un moine fait l'amour, XVIIIe siècle classique. Plus étrange est cette vieille proxénète, qui compte son argent au premier plan, pendant qu'un jeune couple s'active derrière elle.

Le jugement philosophique de Vivant sur tout cela ? Voilà, il l'écrit lui-même, c'est *Le roman universel*. Approche, préliminaires, action, dénouement, en six épisodes, comme les six jours de la Création. Spectacle permanent, cirque. Un homme et une femme, toujours les mêmes et toujours différents, viendront jouer et rejouer la fable de la rencontre et de la séparation amoureuse. « Ici, comme au jeu de l'Oie, on est un coup sans jouer, et on retourne au numéro 2. » Faut-il chercher une morale dans cette affaire? Il ne semble pas. Le roman est universel, il ne laisse rien en dehors de lui. C'est dire la distance que notre cavalier entretient avec les ennuis de la réalité passionnelle.

Et maintenant quelques points sur les i. D'abord *Le Roi Phallus malade et défait* (d'après Zuccharo), affalé sur son trône. Qu'arrive-t-il lorsqu'un roi chargé d'incarner le phallus est pris de malaise dans sa fonction? Attention, on lui coupe la tête. Mais voici surtout *Le Phallus phénoménal*, très swiftien, grand monument mou, en ruine, un peu ridicule, visité par de petites formes touristiques poursuivant leur destinée d'insectes. Ils sont là en pèlerinage, les humains, autour d'un pseudo-bloc, ici-bas, chu d'un désastre obscur.

Vous ne pourrez pas manquer de vous retrouver dans ces *Jeux d'enfants*, aussi pervers qu'innocents. Vous admirerez comme moi, comme Vivant, cette *Belle Napolitaine* vue de dos, et ensuite de face. Cette sorcière à la chèvre, d'après une lampe antique, est-elle convaincante? Oui, et aussi ce *Songe amoureux*. Une mention spéciale pour *L'Amour solitaire*, et sa légende : « Une jeune femme, renversée sur son lit et dans l'attitude de la plus grande ivresse, cherche à se procurer les apparences du plaisir. »

Enfin, ces *Deux Amants* (toujours Fragonard), qui ne les a *été*? Banc de gazon, pavillon, cabinet caché, nous nous en souviendrons toujours. Grâce à *Point de lendemain*, plaisir d'amour dure toute la vie, chagrin d'amour n'est qu'instant moisi.

Sortons encore deux gravures : une *Femme au bain*, et *Deux femmes assises dans un paysage* (on se croirait déjà dans Manet ou Renoir). Oui, ces deux-là si vous permettez. Merci.

Faut-il attribuer au même auteur deux publications anonymes sous le Directoire : *Les Monuments de la vie privée des douze Césars* et *Le Culte secret des dames romaines*? On l'a dit. Ce serait d'autant plus habile qu'on sortait à peine d'une période de spectacle, sanglant et hyper-vertueux, « romain ».

Quand il arrive à Paris, Vivant a donc tout cela dans son portefeuille, lequel a échappé à la curiosité de l'Inquisition. Il publiera bientôt ses fantaisies priapiques. La Terreur a du plomb dans l'aile. Ces dessins tombent à point.

Comme quoi il faut toujours garder des atouts sur soi, et, d'abord, le joker *Priape*. Vivant l'avait donc dissimulé dans sa manche? On n'en doutait pas.

7.

De la Terreur à l'Égypte

Vivant est expulsé de Venise en août 1792. Il va d'abord à Florence, dont il sera chassé le 8 octobre 1793. On ne sait rien de son séjour sur les bords de l'Arno. Si : il a beaucoup regardé les peintres.

Il passe en Suisse. A Genève, il apprend qu'en France son nom figure sur la liste des émigrés. Quel est l'imbécile qui a fait ça ? Là, on ne plaisante plus : c'est la confiscation des biens, la proscription, la fin du vin et de l'aventure. Dès ce moment, plus de De Non. Ce sera Denon.

Que faire ? Vivre pauvre, exilé et toujours suspect, ou se jeter, au risque d'y perdre la tête, dans la gueule du loup ?

Le loup.

Vivant débarque le 11 décembre 1793 à Paris, en pleine Terreur.

La Terreur ? Un peu de Chateaubriand nous en donnera la couleur :

« La Révolution m'aurait entraîné, si elle n'eût débuté par des crimes : je vis la première tête portée au bout d'une pique, et je reculai. Jamais le meurtre ne sera à mes yeux un objet d'admiration et un argument de liberté ; je ne connais rien de plus servile, de plus méprisable, de plus lâche, de plus borné qu'un terroriste. »

Mais surtout : « Un groupe de déguenillés arrive par un des bouts de la rue ; du milieu de ce groupe s'élevaient deux étendards que nous ne voyions pas bien de loin. Lorsqu'ils s'avancèrent, nous distinguâmes deux têtes échevelées et défigurées, que les devanciers de Marat portaient chacun au bout d'une pique... Tout le monde se retira des fenêtres ; j'y restai. Les assassins s'arrêtèrent devant moi, me tendirent les piques en chantant, en faisant des gambades, en sautant pour approcher de mon visage les pâles effigies. L'œil d'une de ces têtes, sorti de son orbite, descendait sur le visage obscur du mort ; la pique traversait la bouche ouverte dont les dents mordaient le fer. (...) Ces têtes, et d'autres que je rencontrai bientôt après, changèrent mes dispositions politiques ; j'eus horreur des festins de cannibales, et l'idée de quitter la France pour quelque pays lointain germa dans mon esprit. »

Encore Chateaubriand ne décrit-il, ici, que les débuts du phénomène. Vivant, lui, est obligé d'être témoin de ce qu'on peut appeler la mécanisation de la mort. Il faut lire, sur ce sujet, les mémoires du bourreau Sanson, accablé de travail sur sa guillotine. Au bout d'une journée de dur labeur, *n'est-ce pas*, la fatigue devient sensible.

Fin 93, c'est précisément le moment le plus dangereux. Une simple dénonciation peut vous faire passer à la trappe, et Denon est couché sur la liste des décapités potentiels.

Certes, il a pris la précaution, en 1788, d'emporter avec lui un extrait du registre des passeports, ce qui prouve qu'il n'a pas émigré. Il a aussi (tiens, tiens) une prestation de serment à la République, signée de Hennin, à Venise. A Florence et Genève aussi, il a obtenu des certificats de patriotisme et de fidélité aux principes de la Révolution.

L'ennui, c'est que ces bouts de papier ne signifient pas

grand-chose en période de tribunaux d'exception. Vivant aurait pu, et même dû, être arrêté dix fois avant d'arriver dans la capitale.

Ou alors, il est protégé dès le début. Par qui ? Nous allons le savoir.

Un certain Philibert Buchot est alors ministre des Affaires étrangères. Vivant lui écrit : « Citoyen ministre, j'ai été employé dans les Affaires étrangères en Russie et à Naples. La nature des événements m'a rendu désagréable à la reine de Naples, et par contrecoup à celle de France, ce qui m'a éloigné d'une carrière à laquelle j'avais destiné ma vie. »

Bonne présentation du dossier : le citoyen Denon a été persécuté par l'Ancien Régime, et, mieux encore, par les *Autrichiennes*. Révoqué par Marie-Antoinette en personne, laquelle complotait avec sa sœur et les ennemis de la France. Parfait.

En réalité, l'adresse à laquelle Vivant se rend (voyez-le, de nuit, frappant à la porte), est celle de David, membre du Comité de Sûreté Générale.

La vie de David reste, par bien des côtés, un mystère. Quoi qu'il en soit, il est là, révolutionnaire convaincu, influent, central.

Immédiatement, c'est ce qui mérite de s'appeler le coup du Jeu de Paume. David écrit à Buchot : « J'atteste, citoyen ministre, avoir connu le citoyen Denon en Italie, l'y avoir vu s'exercer aux arts avec succès, et qu'il n'a jamais habité que des pays neutres. Nous faisons en ce moment concurremment la gravure du " Tableau du Jeu de Paume ". C'est lui qui en fait la gravure. Il ne l'aurait pas fait s'il n'eût été bon patriote. »

La question est réglée.

David, à ce moment-là, est un roi. Un roi ténébreux, si l'on pense aux victimes. Mais enfin, il aura évité la guillotine à Fragonard, à Denon. Marat n'aurait peut-être pas été d'accord, mais il est désormais immortalisé dans sa baignoire par un peintre au-dessus de tous soupçons. « A Marat. David. » Chut. Chateaubriand, lui, traitera méchamment David de « costumier et corybante », et Marat de « Caligula des carrefours. »

Le 29 juin 1794, juste avant la chute de Robespierre, Vivant est rayé de la liste noire et rentre en possession de ses biens.

Du sang-froid, Gentilhomme de la Chambre.

– C'est vous M. De Non ?

– Moi ? Jamais de la vie. Nous sommes républicains de père en fils depuis le Moyen Age.

– Vous êtes pour la Déesse Raison ?

– Assurément.

– Pour le culte de l'Être Suprême ?

– D'autant plus que le citoyen David s'occupe avec moi de la mise en scène.

– Vous n'êtes pas gêné par tous ces cous coupés, ces têtes dans les paniers ?

– Ah, il faut l'avouer, Paris a bien changé, mais excusez-moi, je dois rentrer chez moi, j'ai à faire.

– Et quoi donc ?

– Des travaux pour le citoyen David, vous dis-je. Je suis son assistant.

– Le David du Comité de Sûreté Générale ?

– Lui-même.

Vivant habite d'abord au Louvre (cet endroit serait àtransformer de fond en comble), puis rue Platrière, puis rue de la Salpêtrière. Silence, discrétion, silence. Attendre, laisser couler.

Tout de même, il va rencontrer, dans des circonstances plus qu'étranges, un des hommes les plus importants de l'histoire ouverte et secrète, un géant du système nerveux : l'Incorruptible, Robespierre en personne.

Louis XV, Robespierre, Napoléon : dommage que Vivant n'ait pas écrit ces trois portraits comparés. Un livre essentiel nous manque.

La question est politique, mais finalement religieuse. C'est dans le registre métaphysique, ou de philosophie fondamentale, qu'il faut, de temps en temps, écouter ce que dit Denon. Exemple, ce passage de son *Voyage dans la Basse et la Haute Égypte* (il est à Karnak) :

« Quelle monotonie ! Quelle triste sagesse ! Quelle gravité de mœurs ! J'admire encore avec effroi l'organisation d'un pareil gouvernement ; les traces qu'il a laissées me glacent et m'épouvantent encore. La divinité, sacerdotalement vêtue, d'une main tient un crochet, de l'autre un fléau, l'un sans doute pour arrêter, et l'autre pour punir : la Loi porte partout la chaîne, et la mesure ; je vois les arts se traîner sous le poids de cette chaîne, et son génie m'en paraît accablé : ce signe de la génération tracé sans pudeur jusqu'au sanctuaire des temples m'annonce que pour détruire la volupté ils en avaient encore fait un devoir : pas un cirque, pas une arène, pas un théâtre ! Des temples, des mystères, des initiations, des prêtres, des victimes ! Pour plaisirs, des cérémonies ! Pour luxe, des tombeaux ! Le mauvais génie de la France évoqua sans doute l'âme d'un prêtre égyptien, lorsqu'il anima le monstre qui imagina, pour faire notre bonheur, de nous rendre tristes et atrabilaires comme lui. »

On ne saurait être plus clair. Du moins, à mon avis. Car je vois qu'un commentateur de cet admirable réquisitoire contre la religion Terroriste (évidemment celle de Robespierre) écrit en note : « Peut-être Denon pense-t-il ici à Voltaire qu'il avait rencontré ? » On se frotte les yeux, mais oui, on a bien lu. Voltaire « triste et atrabilaire » en « prêtre égyptien » ? Voltaire ennemi du théâtre ? Voltaire en sectateur d'une Loi portant partout les chaînes ? Allons, donc. C'est, au contraire, l'exacte description de la pathologie rousseauiste exacerbée, telle que le culte de l'Être Suprême, sur fond d'exécutions permanentes, l'a manifestée quatre ans auparavant. « Pour plaisirs, des cérémonies ! Pour luxe, des tombeaux ! » « Quelle monotonie ! Quelle triste sagesse ! »

J'insiste sur ce passage, car il est rare que Vivant se laisse aller à ce frémissement, à ce mouvement de confidence. D'habitude, il décrit, il ne juge pas. Ici, oui. Il faut souligner l'aspect de cette divinité qui ne songe qu'à « arrêter », à « punir ». Et puis, surtout : « Je vois les arts se traîner sous le poids de cette chaîne, et son génie m'en paraît accablé. » Il y a donc un Génie des arts ? Une autre divinité qui les fait vivre, les encourage, les protège ? Une divinité qui n' « arrête » pas mais favorise ou libère ; qui ne « punit » pas, mais félicite, applaudit, récompense ? Il faut croire. Cette divinité est plutôt Grecque ? Bien sûr.

Vivant, en réalité, vient de découvrir que le temple de Karnak, consacré au dieu ityphallique Min, illustre une fertilité obligatoire, et non le plaisir. « A prendre depuis le sanctuaire jusqu'aux murs de circonvallation, ce dieu est représenté de la manière la moins équivoque par le trait qui le caractérise. » Bien, c'est l'auteur des dessins priapiques qui parle. Un spécialiste. Rappelons-nous ce passage de *Point de lendemain* (version de 1777) : « La scène avait changé. Au lieu du temple et de la statue de l'Amour, c'était celle du dieu des jardins (Priape, donc). Le même ressort qui nous avait fait entrer dans la grotte avait produit ce changement, en retournant la figure de l'amour, *et en renversant l'autel* (je souligne). Nous avions aussi quelques grâces à rendre à *ce nouveau dieu* (je souligne). Nous marchâmes à son temple, et *il put lire dans mes yeux que j'étais digne encore de me le rendre propice* (je souligne). La déesse prit une couronne qu'elle me posa sur la tête, et me présenta une coupe, où je bus à pleins flots le nectar des dieux. »

Dans la version de 1812 (prudence), plus de « dieux des jardins », plus de « déesse », plus de coupe ni de « nectar des dieux ». Juste une couronne.

Et maintenant, revenons à Karnak, et lisons le jugement de Vivant Denon sur la *cause* de l'enchaînement des arts et de la censure des théâtres : « Ce signe de la génération tracé sans pudeur jusqu'au sanctuaire des temples m'annonce que pour détruire la volupté ils en avaient encore fait un devoir. »

Autrement dit : il y a une mauvaise utilisation « officielle » et *impudique* de Priape. La voici démasquée. Elle conduit à la volonté de destruction de la « volupté » (donc des arts). Voilà ce qu'il y a dans « le mauvais génie de la France » qui, donc, emprunte de temps à autre « l'âme d'un prêtre égyptien ». Qui sait lire comprendra : encore faut-il, ici, avoir personnellement *intérêt* à comprendre.

Nous entrons donc dans « la grande Histoire », et dans un roman fantastique.

185

Probablement sur les instructions de David, et dans la perspective de leurs travaux en commun, Vivant est convoqué aux Tuileries, la nuit, par le Comité de Salut Public. Celui-ci occupe le Pavillon de Flore rebaptisé « Pavillon de l'Égalité ». De l'autre côté, dans l'Hôtel de Brienne, qu'on appelle désormais « de la liberté », siège le Comité de Sûreté Générale.

Suivons le récit de Lady Morgan, une Irlandaise, qui est venue à Paris visiter la collection privée de Denon et s'est entretenue avec lui (*La France*, 1817) :

« Le palais était sombre et silencieux (il est 2 heures du matin). Une grande armée se promenait dans ses spacieux appartements à demi éclairés ; l'antichambre de la salle du conseil était remplie d'officiers républicains (...) Laissé seul dans un salon à peine éclairé, Denon s'aperçut qu'il se trouvait dans un endroit alors silencieux et qui avait retenti autrefois des accents du plaisir et de la gaieté. C'était l'appartement de la belle Marie-Antoinette. Vingt ans auparavant, il y avait lui-même servi, comme gentilhomme ordinaire de Louis XV (...) Une porte s'ouvrit et se ferma avec précaution ; un homme s'avança vers le milieu du salon ; y apercevant un étranger, il fit un mouvement en arrière. C'était Robespierre. A la lueur d'une lampe qui était sur la cheminée, Denon put observer la contenance sombre de ce monarque de la terreur qui mit la main sur son sein comme s'il eût voulu prendre quelque arme qui y fût cachée. Denon vit à l'instant le danger de faire naître, même pour un moment, la moindre crainte dans une âme comme celle de ce monstre, et n'osant s'arrêter pour lui parler, il se retira à reculons jusque dans l'antichambre, les yeux fixés sur Robespierre, qui, de son côté, ne le perdait pas de vue. Il entendit agiter avec violence une sonnette placée sur la table de l'appartement qu'il venait de quitter. Au bout de quelques minutes, un huissier qui était accouru à ce bruit vint offrir, de la part du dictateur, des excuses polies au dessinateur des fastes républicains. Denon fut introduit de nouveau en sa présence, et il est remarquable que ce furieux démagogue cherchant évidemment à cacher le sentiment que lui avait fait éprouver la présence inattendue d'un inconnu, prit dans ses manières et dans son ton un air de grande politesse et de cérémonie, comme s'il eût voulu faire concevoir à un homme qui avait lui-même vécu dans les cours, une idée avantageuse de sa personne, et lui prouver sa supériorité sur les misérables coquins avec lesquels il se trouvait associé. Il était, dit Denon, vêtu en petit-maître, et son gilet de mousseline brodée était bordé de soie couleur de rose. »

Passons sur les convictions échauffées de cette belle Irlandaise (« monstre », « furieux démagogue » etc.), et retenons cette conversation de nuit sur la façon d'habiller les Français. Quelques remarques générales sur l'art ? Pourquoi pas ? Ce qui est sûr, c'est que l'entrevue nocturne a eu lieu. Et ce qui est non moins sûr, c'est que Vivant, sans jugement verbal explicite (mais quelle scène !) se contente de montrer le masque mortuaire de Robespierre comme un des objets les plus curieux de sa *collection*.

« C'est le masque de Robespierre – écrit Lady Morgan encore toute frissonnante – pris sur sa figure avant que la lividité de la mort en eût effacé un seul des traits qui peignaient son âme perverse. Il est impossible de jeter les yeux sans frémir sur ce portrait fidèle d'un original effrayant. Il n'offre pas les traits d'un grand scélérat entraîné vers le crime par une ambition qui l'ennoblit ; c'est le hideux visage d'un assassin soudoyé, d'un atroce brigand, d'un misérable sans remords et sans pitié, qui n'est pas même animé par l'intelligence de l'astuce. Ce n'est pas la figure du " plus brave des coupe-jarrets ", c'est celle d'un lâche que la crainte peut arrêter au moment de commettre le crime que sa scélératesse a médité. »

Vivant a dû s'amuser des cris effarouchés de Lady Morgan. A part sa réflexion sur le costume de Robespierre (« petit-maître » et « mousseline »), très précise pour décrire quelqu'un qui pense à déguiser tout le monde en Romains de l'antiquité, il n'a pas un mot négatif sur le grand révolutionnaire. Pas un mot, mais un masque. Certes, Robespierre n'est pas mort en odeur de sainteté, mais la fureur de Lady Morgan le rend presque sympathique. Lâche ? Nous savons bien que non. Soudoyé ? Eh non. Lady Morgan aime bien les brigands « normaux », si on peut dire. Robespierre est une Idée en marche, c'est autre chose. Un grand prêtre vivait en lui. Et comme il est mort dans des circonstances particulièrement dramatiques et dans d'intenses souffrances physiques, on comprend que son expression ne soit pas celle de la béatitude ou de l'innocence.

Reste à savoir *comment* Vivant s'est procuré ce masque. Même question qu'avec le Reliquaire, les poils de moustache de Henri IV ou l'os de Molière. Pour le Cid, nous savons, puisque son accompagnateur, le peintre Zix, a dessiné la scène, à Burgos, où Vivant replace le crâne du légendaire héros dans sa tombe, après l'avoir ouverte.

Étrange Denon. Nous reviendrons sur le récit de Lady Morgan, très précieux pour connaître la collection de Vivant. « Quand il me parlait de sa collection, écrit-elle, je pensais toujours qu'une heure de sa conversation valait tout ce qu'il avait rassemblé, quoique trois mille ans

eussent fourni leur contribution pour grossir ses trésors. »
Elle lui applique ce qu'une de ses admiratrices disait de
Buffon : « Quand Buffon me parle des merveilles de la
nature, je pense toujours qu'il en est lui-même la plus
grande. » C'est Morgan qui nous apprend qu'en Russie
Vivant a eu avec le grand-duc Paul une correspondance
« à la dérobée ». Bref, elle l'aime et, du coup, on se prend
à l'aimer, elle aussi, malgré les clichés qu'elle emploie.
Denon, c'est « la France » : « Jamais on ne vit un plus bel
exemple de gaieté et de sensibilité réunies ; jamais ces qualités ne surent mieux s'élever au-dessus du choc du temps
et des circonstances. » Et encore : « Il faudrait qu'une
anecdote fût bien froide, bien insipide, pour qu'elle ne
captivât pas l'attention, quand elle est narrée par Denon.
Des bagatelles " légères comme l'air " prennent dans sa
bouche un intérêt puissant. Je conserve dans toute sa fraî-
cheur le souvenir des matinées et des soirées que j'ai passées au coin de son feu, dans cette *causerie* que les Français
seuls savent maintenir sans langueur ni satiété... »

Vivant n'a pas pleuré Robespierre. Il restera, avec
David, courtois mais distant. Comme c'est curieux, la vie,
que de coïncidences. Dans la nébuleuse de retour aux plaisirs qui suit Thermidor, une femme va se détacher bientôt : Joséphine de Beauharnais, la nièce de Fanny, celle du
Journal des dames d'autrefois (et, donc, de *Point de lendemain*).
Inutile de dire que, dans ces années-là, Vivant a le vent en
poupe. Comment, vous avez connu Louis XV ? Vraiment ? Et Catherine de Russie ? Et Marie-Caroline de
Naples ? Et Venise ? Comment est-ce Venise ? Et la Sicile ?
Et les volcans ?

Barras, le « sultan du Luxembourg », appuyé sur Tal-
lien et sa femme, organise tout, veille sur tout, compte

tout. On parle beaucoup de ce général qui fera des merveilles en Italie après nous avoir sauvés d'un retour de flamme royaliste. Si on le mariait ? Bonne idée. Barras a bien une idée ? Sa propre maîtresse, Joséphine ? Excellent. Le général (Bonaparte) tombe amoureux. C'est fait.

Les historiens, faute d'écoutes téléphoniques, parlent beaucoup, à propos de cette période de fourmillement des coulisses, de « rencontres ». Joséphine « rencontre » Denon qui la charme par sa conversation. Denon « rencontre » Bonaparte et lui offre un verre de limonade (ou d'orangeade), après quoi le général est séduit par notre cavalier brillant causeur. On se croirait dans un film. Mais c'en est un aussi, après tout.

L'Égypte : voilà le Destin. L'expédition vise à contrer l'Angleterre et à préparer, si possible, une offensive plus lointaine, en Inde. Mais elle a aussi ses raisons techniques, scientifiques, sourdement politiques (éloigner Bonaparte ? l'enliser dans un échec pour l'affaiblir ?). Le Directoire donne l'ordre au général d'entreprendre la conquête le 5 mars 1798. L'Égypte, à l'époque, est une possession turque et la Turquie n'est alors ni l'alliée de l'Angleterre ni en guerre avec la France.

Voilà pour la surface et la super-production qui va suivre. Mais il y a encore autre chose, et Vivant est là, soudain, en première ligne.

A cinquante et un ans, il insiste et se démène pour faire partie d'une aventure dont tout indique qu'elle va être éprouvante et dangereuse. Rien à faire : en bateau ! à cheval ! Comment s'y prend-il pour se faire embarquer, puisqu'il n'a, à ce moment-là, aucune fonction officielle (il n'a pas été recruté par l'Institut) ? Tous les témoignages concordent : Joséphine.

La future Impératrice des Français impose à son mari général en chef la présence d'un certain Vivant Denon.

« Mon cœur palpitait – écrira Vivant –, sans qu'il me fût possible de me rendre compte si cette émotion était de la joie ou de la tristesse ; j'allais errant, évitant le monde, m'agitant sans objet, sans prévoir ni rassembler rien de ce qui allait m'être utile dans un pays si dénué de ressources. »

Comme tout finit par être mathématique dans un vrai destin, c'est sur la frégate *La Junon* que Vivant monte le 14 mai 1798. Elle est en tête de l'escadre française : 65 navires de guerre, 280 transports de troupe, 38 000 hommes, 1 200 chevaux, 171 canons, 200 savants et artistes (dont Monge et Berthollet). Bonaparte a pensé à tout, sauf au climat : il fait débarquer en plein mois de juillet, en Égypte, des troupes vêtues comme pour une campagne d'hiver en Europe. Mais le ton est d'emblée mystique : « Soldats (...), vous avez fait la guerre de montagnes, de plaines, de sièges ; il vous reste à faire la guerre maritime. (...) L'Europe a les yeux fixés sur vous ! vous avez de grandes destinées à remplir, des batailles à livrer, des dangers, des fatigues à vaincre ; vous ferez plus que vous n'avez jamais fait pour la prospérité de la patrie, le bonheur des hommes et votre propre gloire. »

Vivant : « J'avais toute ma vie désiré faire le voyage d'Égypte (...) Un mot du héros qui commandait l'expédition décida de mon départ : il me promit de me ramener avec lui, et je ne doutai pas de mon retour. »
C'est ainsi que commence le nouveau *Voyage*. A la fin de son livre, Vivant écrit : « Dans cet étrange voyage, le pro-

jet de départ, le retour, tout fut une suite de surprises et de circonstances précipitées qui, soit pour aller, soit pour revenir, me placèrent toujours à l'avant-garde. » Le départ ? Une expédition sur la lune. Le retour ? Un coup d'État.

Il y a une question générale qui est celle de la faculté d'adaptation de Vivant Denon. Un de ses ennemis récents (et ils ont été nombreux, puisque les passions idéologiques et politiques sont constantes) le traite de « paysan bourguignon madré, retors, d'un arrivisme sans faille ». Il ajoute : « Un homme de modeste extraction (c'est faux) n'a de cesse qu'il se soit fait un nom, une réputation, qu'il ait atteint les honneurs (c'est ici nier toute la persécution antérieure). Il tire parti de la moindre rencontre (comme l'on fait avec lui), rentabilise ses amitiés (personne n'a été aussi " rentabilisé " que Vivant), monnaie son savoir-faire (ah bon, il faudrait être gratuit ?), manie la flatterie (serait-il le seul ?), sait habilement servir un régime après l'autre (en somme : une girouette, un retourneur de veste, il est inadmissible qu'il n'ait pas été un martyr). » Une fois lancée, la jalousie viscérale ne demande qu'à s'épanouir : « Il y a de l'écornifleur, du parasite, du flagorneur, du courtisan, chez Denon, un côté anguille ou comme une fibre roublarde et une certaine soif de puissance. » Bref, c'est « un provincial embourgeoisé » (alors que c'est le contraire : un bourgeois devenu de plus en plus libre dans ses mouvements, il est vrai, *masqués*).

Non, le passage que je viens de citer n'est pas d'un historien stalinien, mais c'est tout comme.

Passons sur ce genre de procès, dont le ressentiment fonctionnaire saute aux yeux. Vivant est un aventurier, soit. Il énervera toujours les « assis » de toutes obédiences. Ce qui m'intéresse, moi, c'est son absence de préjugés, sa maîtrise de soi, sa veille, sa souplesse, sa rapidité intérieure, son sens de la relativité et, finalement, sa bonne forme continuée, intellectuelle et physique.

Car enfin, il faut le faire. « Dès que j'eus assuré le sort de ceux dont l'existence dépendait de moi (qui ? nous l'ignorons), j'appartins tout à l'avenir. »

Bien qu'il ne revendique nullement ce titre, Vivant est d'abord un écrivain. Ceux qui ne comprennent pas comment on peut être d'*abord* dans la perception et le rythme de la réalité conçue comme phrase n'y comprendront jamais rien. Tant pis. Je rapprocherai ici la description du départ de la flotte française du début de *Point de lendemain*. Rien à voir ? Lisez donc :

« Le vent était contraire ; la sortie fut difficile ; nous abordâmes deux autres bâtiments ; pronostic fâcheux ; un Romain serait rentré ; mais ce Romain aurait eu tort, car le hasard, qui nous sert presque toujours mieux que nous nous servons nous-mêmes, en ne me laissant rien faire comme je voulais, en me conduisant aveuglément à tout ce que je voulais faire, me mit dès ce moment aux avant-postes, que je ne devais pas quitter de toute l'expédition. »

Phrase en étoile, angles, rayonnement, dérapage, retour. Vauban, Le Nôtre, Laclos, Sade, Stendhal. Bientôt, la période oratoire va se dégager de sa sécheresse et nous serons, déjà, dans Chateaubriand (c'est-à-dire dans toute la suite).

L'entrée en Égypte, c'est, pour la fin du XVIIIe siècle, un événement mythique aussi important que la découverte du

Nouveau Monde ou le premier pas sur la lune. Une entrée par *effraction*, un viol. Impossible de ne pas avoir la Bible en tête et de ne pas se dire qu'on vit une sorte de prodige. Vivant en est conscient au plus haut point. Ce qu'il va voir, noter, dessiner, *personne* jusqu'à lui n'en a ramené la moindre représentation ordonnée. Il sait, de plus, qu'il va copier des signes qu'il ne comprend pas. La pierre de Rosette, en somme, attend les Français. Un petit garçon de huit ans, qu'on dit déjà très doué en écriture, s'amuse, pour l'instant, dans un jardin du sud-ouest de la France, dans le Lot, à Figeac : il s'appelle Jean-François Champollion.

Bien sûr, des savants éminents sont là, mais encore une fois on vit une expérience qui est en même temps intérieure. Et là, Vivant est seul. Sa solitude, c'est son style. Le style, c'est l'homme même, pas celui que les autres, ou la société, voient ou croient.

Nous avons son récit, ses dessins. C'est la variété même des positions, des fonctions, qui font l'intérêt de son livre inclassable. Cela explique sans doute le succès extraordinaire du *Voyage*, et son influence en profondeur sur Chateaubriand – qui le cite dans les *Mémoires d'outre-tombe* –; mais aussi chez *Flaubert, Nerval, Théophile Gautier (Le Roman de la momie)*, Quincey, Poe, Lautréamont, Rimbaud, Raymond Roussel, Borges. Je ne dis pas qu'il ont tous *lu* le *Voyage* de Denon, mais que ce livre a été, sans aucun doute, un des grands « émetteurs » magiques du XIXe siècle. Vivant s'occupera de la relance de son livre à travers l'architecture, le mobilier, les objets, la décoration, les médailles. Il modèlera, dans la réalité, son aventure. Comment comprendre autrement l'érection, par ses soins, de la colonne Vendôme, ce phallus phénoménal qui obsédera les temps ultérieurs ? Abattre la colonne Vendôme (la Commune, Courbet) pour déboulonner Napoléon III était, au fond, un hommage inconscient à Napoléon le Grand rabaissé par le Petit. Malheureusement, on ne refait pas l'Histoire, pas plus en tragédie qu'en comédie. Il y a un *moment* pour l'Histoire. Il est rare. L'Égypte de Bonaparte est un de ces moments-là.

Dans cette affaire, Vivant est, à la fois, témoin, ami de quelques acteurs de premier plan (comme le général Desaix), conteur, correspondant de guerre, dessinateur, naturaliste, archéologue, ethnologue, érudit, simple soldat, comploteur politique, et, finalement, poète.

Par exemple : « Le soir, le vent fraîchit, et, passant de l'est en ouest, rassembla la flotte de telle sorte que je crus voir Venise, et que tous ceux qui connaissaient cette ville s'écrièrent : *c'est Venise qui marche !* Au soleil couchant, nous reçûmes l'ordre de rallier le convoi, au milieu duquel nous passâmes la nuit, comme dans une ville ambulante. »

Venise, sur l'eau, en train d'envahir l'Égypte comme une forêt en marche : c'est cette présence « shakespearienne » de Vivant qui me touche, celle du héros malgré lui, perdu au milieu de camarades, pour la plupart de trente ans plus jeunes, qui vont se faire tuer à ses côtés. Il faut surmonter le bruit, la fureur, la chaleur, les marches forcées, les combats, le désert, le sable, le sang, le galop, les massacres – tout cela au large de ruines grandioses incompréhensibles. C'est cette épreuve qui compte d'abord dans le *Voyage*, plus que le travail savant (Encyclopédie oblige) qu'il est *aussi*.

Regardez cette prise de Malte : « J'étais toujours sur le pont, et, la lunette à la main, j'aurais pu faire de là le jour-

195

nal de ce qui se passait dans la ville, et noter, pour ainsi dire, le degré d'activité des passions qui en dégageaient le mouvement. »

Mais aussi : « On délivre tous les esclaves turcs et arabes. Jamais la joie ne fut prononcée d'une manière plus expressive : lorsqu'ils rencontraient les Français, la reconnaissance se peignait dans leurs yeux d'une manière si touchante qu'à plusieurs reprises elle me fit verser des larmes. »

Décidément, la Révolution française a eu lieu.

A Malte, Denon est « de retour ». Il peut enchaîner directement sur son *Voyage en Sicile*. On peut aussi imaginer son amusement en voyant Naples tomber, de loin, sous son pouvoir indirect.

Il va à l'église Saint-Jean pour s'assurer d'un certain nombre de peintures. A la bibliothèque, il voit un vase grec « de la plus belle espèce, et pour la terre et pour la peinture ». Allons, tout va bien. Le quatrième jour, Bonaparte donne un souper, au milieu d'une assemblée d'officiers « rayonnants de santé, de vie, de gloire et d'espérance ». L'épopée commence.

On débarque à Alexandrie : « Personne ne fuyait, il fallut tout tuer sur la brèche, et deux cents des nôtres y restèrent. »

Ici, première aventure personnelle et physique de Vivant : une histoire de chiens, la nuit, dans Alexandrie. Il est seul, il marche dans la ville qui vient d'être prise d'assaut :

« Je traversai le cimetière ; c'était le chemin que je savais le mieux : arrivé aux premières habitations des vivants, je fus assailli de meutes de chiens farouches, qui m'attaquaient des portes, des rues, et des toits ; leurs cris se répercutaient de maison en maison, de famille en famille (...) L'obscurité n'était diminuée que par les lueurs des étoiles, et la transparence que la nuit conserve toujours dans ces climats. Pour ne pas perdre cet avantage, pour échapper aux clameurs des chiens, et suivre une route qui ne pouvait m'égarer, je quittai les rues, et résolus de longer le rivage ; mais des murailles et des chantiers qui arrivaient jusqu'à la mer me barraient le passage ; enfin, passant dans la mer pour éviter les chiens, escaladant les murs pour éviter la mer lorsqu'elle devenait trop profonde, mouillé, couvert de sueur, accablé de fatigue et d'épouvante, j'atteignis à minuit une de nos sentinelles, bien convaincu que les chiens étaient la sixième et la plus terrible des plaies d'Égypte. »

La fameuse colonne de Pompée ? Décevante. D'ailleurs, la voici, je vous la dessine. En revanche, les obélisques, par exemple celui de Cléopâtre, ne sont pas mal du tout : « Ces obélisques pourraient facilement être embarqués, et devenir en France des trophées de la conquête, trophées très caractéristiques, parce qu'ils sont, à eux seuls, un monument, et que les hiéroglyphes dont ils sont couverts doivent les rendre préférables à la colonne. »
Conseil suivi un peu plus tard : place de la Concorde.
Automobilistes, encore un effort : pensez à Vivant Denon en passant devant ce phallus dressé et gravé.

Le 21 juillet 1798, c'est la bataille des Pyramides, et le fameux mot de Bonaparte : « Allez, et pensez que du haut de ces monuments quarante siècles vous observent (ou vous contemplent). » Les historiens croient en général que ce « mot historique » est imaginaire et qu'il a été inventé par Napoléon à Sainte-Hélène pour son *Mémorial*. Mais les historiens ont tort. Ils n'ont pas lu le *Voyage en Égypte*. Vivant, en 1802, est le premier à publier cette phrase extravagante et sublime. A-t-elle été soufflée par lui, comme on peut à bon droit supposer que le « Paris vaut bien une messe » a été suggéré à Henri IV par Montaigne ? Pourquoi pas ?

Les Mamelouks de Mourad-Bey prévoyaient, paraît-il, de tailler les Français en pièces comme des *citrouilles*. Mais « la meilleure cavalerie d'Orient, et peut-être du monde entier, vint se rompre contre un petit corps hérissé de baïonnettes. Il y en eut qui vinrent enflammer leurs habits au feu de notre mousqueterie, et qui, blessés mortellement, brûlèrent devant nos rangs (...) Dès lors, ce ne fut plus un combat, mais un massacre ; l'ennemi semblait défiler pour être fusillé ». En même temps « la poussière et la fumée troublaient à peine la partie la plus basse de l'atmosphère ». Denon veut faire sentir que la nature, indifférente aux atrocités qu'elle enveloppe, poursuit son existence indépendante. « C'est ce que j'ai cherché à peindre dans le dessin que j'ai fait de ce moment. »

Une anecdote très parlante, rapportée par Pastouret, met en scène Vivant, lors de la remontée du Nil : « Denon aperçoit des ruines dont il veut absolument conserver un croquis. Il se fait mettre à terre, court dans la plaine, s'établit sur le sable et se met à dessiner en hâte. Il n'avait pas tout à fait terminé son ouvrage quand un petit sifflement sec, tranchant, résonne et passe entre son papier et son visage. C'était une balle. Il relève la tête, voit un Arabe qui venait de le manquer et qui rechargeait son arme ; il saisit son propre fusil, déposé par terre, envoie à l'Arabe une balle dans la poitrine, puis il replie son portefeuille et regagne la barque. Le soir, il montre son dessin. « Votre ligne d'horizon n'est pas droite », lui dit Desaix. « Ah, répond-il, c'est la faute de cet Arabe, il a tiré trop tôt. »

Vivant s'est représenté lui-même, de dos, à côté de son cheval, en train de dessiner, face à un portique en ruine vivement éclairé par le soleil levant. Il est debout. Il veut dire que le temps presse :

« Je me suis représenté avec toutes les ruines de mon costume, suite inséparable de mes marches continuelles, de la perte de mes équipages et du peu de soin et de temps que j'avais à donner à ma personne ; occupé de mes dessins et de mon journal, je ne soignais qu'eux. J'ai ajouté quelques groupes de tout ce qui formait mon train à cheval, mon âne et mon pliant portatif qui composait à lui seul l'établissement de tout mon atelier. Je n'ai jamais quitté mon portefeuille, je le portais partout et, la nuit, il me servait d'oreiller ; sur la fin du voyage, son poids avait considérablement augmenté. Celui de mon nécessaire de voyage, semblable à celui de Robinson, était composé de deux pistolets à deux coups, d'un sabre, de quelques charges de balles, d'une ceinture où il y avait cent louis d'or pour me faire porter à la suite de l'armée au cas où je fusse blessé, d'une cuiller, d'une fourchette et d'un gobelet d'argent, de papier à dessiner et à écrire, ce que je faisais presque chaque fois que dans les marches l'on laissait un moment respirer l'infanterie : car c'est ainsi que j'ai fait mon journal et mes dessins, pour qu'ils eussent, sinon le mérite de la pureté, au moins la naïveté du moment et la vérité de la nature. »

Ce qui est amusant, dans ce train d'enfer à cheval, « comme Robinson », ce sont les erreurs de dates commises par Vivant lui-même. Il écrit : 14 fructidor (fin août), alors qu'il s'agit de thermidor (fin juillet). Le nouveau calendrier a du mal à passer. Une autre fois, ce sera pluviôse (fin janvier) au lieu de nivôse (fin décembre). Ou encore nivôse au lieu de frimaire (fin novembre); thermidor au lieu de messidor (fin juin). On sent bien qu'il y a quelque chose qui ne marche pas. Il faudra revenir en arrière. On ne se débarrasse pas du pape comme ça.

Cette affaire de calendrier ne fait pas assez rêver : elle devrait, pourtant. Le général Vendémiaire sera bientôt le général Brumaire et, déjà, Napoléon perce sous Bonaparte. Si l'on veut en savoir davantage sur les suites historiques de cette aventure, on peut, malgré la sourde interdiction dont cet auteur fait aujourd'hui l'objet après avoir été aplati, stéréotypé, ressassé, lire, ou relire, *Le 18 Brumaire de Louis Bonaparte* (1852). Comme tous les grands maudits, Marx est plein d'avenir. L'Histoire, dit-il, est *gründlich* = ingénieuse. Elle a plus d'un tour dans son sac.

Remplacer le calendrier grégorien n'est pas une mince acrobatie. C'est comme supprimer ou remplacer le christianisme : mieux vaut, sans doute, prudemment, essayer de le « mettre en perspective ». C'est déjà l'opinion de Bonaparte en Italie, quand le Directoire lui demande, en bonne logique terroriste, de marcher sur Rome et d'y éteindre, une fois pour toutes, le « flambeau du fanatisme ». Le général préfère temporiser et faire payer (beaucoup). Après quoi, les démêlés avec Pie VII seront un roman complet. « Tragediante ! Comediante ! » Vivant, toujours lui, sera là, ironique, dans l'ombre : le Sacre, le pape enlevé, que d'histoires ! A Pie VII, qui lui fait des compliments sur son *Voyage*, lequel lui a appris beaucoup de choses qu'il ignorait, Vivant dira doucement : « Mais vous m'avez excommunié ! » « Je t'ai excommunié, toi, mon fils ? Vraiment ? Je ne le savais pas. »

Au moment où Vivant écrit, nous sommes donc en l'an VI de la République une et indivisible, qui, en principe, a voté la liberté du monde. Quarante siècles d'un côté, six ans de l'autre, on comprend qu'un léger vertige se dégage de cette situation. Partout, dans le *Voyage*, cette pression du temps est sensible, c'est son « romantisme ». Que les « Sophisiens », issus de l'armée d'Égypte, se soient donnés comme date fondatrice « l'an 15 509 » (ce qui, en termes républicains veut dire l'an IX, et en termes courants : 1801) n'est pas l'effet du hasard.

D'où venons-nous, où allons-nous, qui sommes-nous, en quelle année nous retrouvons-nous, quelle heure est-il? Les Juifs sont agaçants, avec leurs cinq mille ans (et des poussières) d'avance. On tombe maintenant sur ces musulmans et leur Hégire (puisqu'ils comptent, eux, à partir de leur Prophète). La Franc-Maçonnerie, au fond, est une tentative d'unification de toutes ces horloges. Les Sophisiens se donnent d'un coup quinze mille ans de recul (ou d'avance)? C'est leur fantaisie, elle a ses raisons. 15 509 en 1801, cela nous fait 15 708 en l'an 2 000, qui sera, si l'on veut, l'An 208 de la République. Passer d'un siècle à l'autre ne va pas sans troubles subjectifs (et d'un millénaire à l'autre, donc). Vivant est un de ceux qui franchissent brillamment le gué. Il aura vécu cinquante-trois ans au XVIIIe siècle et vingt-cinq ans au XIXe siècle. Il a dû y penser souvent.

Quoi qu'il en soit, il écrit de façon militaire : « Le 14 fructidor, au matin, nous étions maîtres de l'Égypte, de Corfou, de Malte ; treize vaisseaux de ligne rendaient cette position contiguë à la France, et n'en faisaient qu'un empire. L'Angleterre ne croisait dans la Méditerranée qu'avec des flottes nombreuses qui ne pouvaient s'approvisionner qu'avec des embarras et des dépenses immenses. »

Cela ne durera pas, et Nelson prendra sa revanche et remettra la navigation en ordre. C'est sur mer que les Français échoueront d'abord. Ensuite, la résistance du pape au blocus, l'insurrection espagnole, le désastre de Russie, et tout sera dit.

Mais, ici, nous sommes dans la première bataille d'Aboukir. « A onze heures un feu lent recommença ; à minuit le combat était de nouveau engagé ; il cessa à deux heures du matin ; à la pointe du jour j'étais aux postes avancés, et, dix minutes après, la canonnade fut rétablie, etc. »

Les pertes sont lourdes. Écoutez Vivant, lorsqu'il est ému :

« A minuit, nous arrivâmes au bord de la mer. La lune en se levant éclaira une scène nouvelle ; quatre lieues de rivages couverts de nos débris (...) Quel est ce squelette tronqué ? Est-ce toi, intrépide Thévenard ? Impatient d'abandonner au fer secourable des membres fracassés, tu n'aspires plus qu'à l'honneur de mourir à ton poste ; une opération trop lente fatigue ton ardeur inquiète : tu n'as plus rien à attendre de la vie, mais tu peux encore donner un ordre utile, et tu crains d'être prévenu par la mort (...) Quel est cet autre, assis, les jambes emportées ? Il semble par sa contenance arrêter un moment la mort dont il est déjà la proie ! C'est toi, sans doute, courageux Dupetit-Thouars ; reçois le tribut de l'enthousiasme que tu m'inspires... »

Ce ton est si inhabituel chez Vivant qu'il ne se reproduira plus.

Des femmes ? Oui, mais spéciales :

« Elle était mélancolique et belle : le mari, négociant, savait un peu d'italien, et nous servit d'interprète : sa femme, éblouissante de blancheur, avait des mains d'une beauté et d'une délicatesse extraordinaire ; je les admirai, elle me les présenta : nous n'avions pas grand-chose à nous dire ; je caressais ses mains ; elle, très embarrassée de ce qu'elle ferait ensuite pour moi, me les laissait, et moi je n'osais les lui rendre dans la crainte qu'elle crût que je m'en étais lassé. » On n'ira pas plus loin.

Encore mieux : Vivant a une voisine légère dont le mari est jaloux. D'où scènes incessantes. « Elle demeurait vis-à-vis de mes fenêtres ; la rue était étroite, et par cela même j'étais tout naturellement devenu le confident de ses chagrins. La peste se déclara dans la ville : ma voisine était si communicative qu'elle devait la prendre et la donner ; effectivement elle la prit de son dernier amant, la donna fidèlement à son mari, et ils moururent tous trois. »

Vivant met un certain temps à admirer franchement les Pyramides qu'il trouve être l'œuvre du despotisme appuyé sur le fanatisme. Il dessine, il n'éprouve pas. Un sphinx colossal, en revanche, le touche : « L'expression de la tête est douce, gracieuse, tranquille ; le caractère en est africain : mais la bouche, dont les lèvres sont épaisses, a une mollesse dans le mouvement et une finesse d'exécution vraiment admirables ; c'est de la chair et de la vie. »

Vient la révolte du Caire, qui le surprend par la rapidité de sa diffusion. Les Turcs ne se battent pas la nuit ? « La mosquée fut tournée, une batterie lui apprit que, chez nous, la guerre ne cessait pas avec le jour : ils levèrent leurs barricades, crurent pouvoir faire une sortie, furent repoussés, et se rendirent. Le reste de la nuit fut calme ; le lendemain, nous fûmes libres. »

Il n'y a pas que les coups de feu et les monuments. Les croyances locales sont aussi dignes d'intérêt que les événements de la nature ou de l'histoire. Par exemple, la secte des psylles. Il y a de la manipulation de serpents dans l'air et « je suis toujours curieux d'observer les moyens que les hommes emploient pour commander à l'opinion ».

« Je m'adressai au chef de la secte ; je le flattai ; il me promit de me rendre spectateur de l'exaltation d'un psylle auquel il aurait *soufflé l'esprit*, c'était son expression. Il crut, dans ma curiosité, reconnaître un prosélyte, et me proposa de m'initier : j'acceptai ; mais ayant appris que, dans la cérémonie de réception, le grand-maître crachait dans la bouche du néophyte, cette circonstance refroidit ma vocation et je sentis qu'elle ne résisterait pas à cette épreuve. »

La cérémonie a lieu. « Je vis parfaitement que je ne craignais pas plus la morsure des serpents que les psylles ; car, ayant bien remarqué comment en les attaquant d'une main ils les saisissaient avec l'autre tout auprès de la tête, j'en fis, à leur grand scandale, tout autant qu'eux, et sans danger. »

Le grand mystère, maintenant. Les convulsions n'en finissent pas, et augmentent de façon « ridicule ». « Je me crus assez initié ; et cette grossière jonglerie finit. »

Les psylles d'aujourd'hui auraient bien besoin d'être visités de la sorte. Encore que la secte des psylles, remarque Vivant, « remonte à la plus haute antiquité ». Cela nous vaut, par la suite, des considérations pincesans-rire, toutes voltairiennes, sur la promotion religieuse du serpent. « Le dieu Knuphis, ou l'architecte de l'univers, selon Strabon et Eusèbe, était adoré à Éléphantine sous la figure d'un serpent. Depuis le serpent d'Éden, ce reptile jouit d'une célébrité inattendue : après avoir été la tentation de notre première mère, on lui fit lâcher la pomme, se mordre la queue, et il fut l'emblème de l'éternité ; on le fit monter le long d'un bâton, et il devint le dieu de la santé ; les Égyptiens en attachèrent deux autour d'un globe, pour représenter peut-être l'équilibre du système du monde ; les Indiens le mirent à la main de toutes les divinités ; nous en avons fait la justice, nous en avons fait la prudence ; le serpent d'airain chez les Hébreux ; le serpent Python chez les Grecs, etc. Cependant, tant d'illustrations n'ont rien changé au principe de modestie de ce sage animal : il continue de chercher l'obscurité, il fuit l'éclat, et il n'élève sa tête qu'à la moitié de sa grandeur. Pourquoi donc cette célébrité ? Pourquoi ce culte unanimement accordé à ce reptile ? Il a suivi le précepte de l'Écriture : " Humilie-toi, et tu seras élevé. " Il a rampé, et il est parvenu. »

Même esprit des Lumières pour feindre de s'étonner que le Coran ne protège pas davantage de l'idôlatrie : « La plupart de ces saints, accroupis à l'ombre d'une muraille, ont passé leur vie à répéter sans cesse le mot *Allah*, et à recevoir sans reconnaissance ce qui a suffi à leur subsistance ; d'autres à se frapper la tête avec des pierres ; d'autres couverts de chapelet, à chanter des hymnes ; d'autres enfin, tels que les fakirs, à rester immobiles, et absolument nus, sans témoigner jamais la moindre sensation, et attendant une aumône, qu'ils ne demandent point, et dont ils ne remercient jamais. »

Vivant va même voir un *arbre sacré*. Il est presque mort, décrépit, il n'y a plus qu'une branche qui porte des feuilles. On y trouve un peu de tout : des cheveux, des dents, des pierres, un siège mystérieux surmontant une grosse lampe. « Les cheveux avaient été cloués par des femmes pour fixer l'inconstance de leurs maris (...), le siège est le lieu où se met celui qui adresse son vœu de nuit, après avoir allumé la lampe qui est dessous. » Il aurait voulu assister à cette cérémonie, « pour en faire une vue avec l'effet mystérieux de la nuit. » Une autre fois, tant pis.

J'espère faire sentir au lecteur à quel point le *Voyage* est étrange et, finalement, méconnu. Y a-t-il un tabou sur la libre circulation dans l'Antiquité égyptienne ? La malédiction des pharaons poursuit-elle le léger Denon ? Sommes-nous, sans le savoir, transis par le mystère des pyramides ? Vivant peut être plus sérieux, nous allons le voir. Mais, pour cela, il faudra qu'il ait l'impression qu'il y a un roman révélateur à *lire*. D'où son enthousiame fébrile quand, enfin, il trouvera un *papyrus*.

En somme, il faut le mériter. Voici la bataille de Sédiman, et, là, nous sommes dans la boucherie frontale : « Les Mamelouks tombés de cheval se traînent sous les baïonnettes, et viennent chercher avec leurs sabres les jambes de nos soldats ; le mourant rassemble sa force et lutte encore contre le mourant, et leur sang, qui se mêle en abreuvant la poussière, n'a pas apaisé leur animosité. Un des nôtres, renversé, avait joint un Mamelouk expirant, et l'égorgeait ; un officier lui dit : " Comment, en l'état où tu es, peut-tu commettre une pareille horreur ? " " Vous en parlez bien à votre aise, vous, lui dit-il, mais moi, qui n'ai plus qu'un moment à vivre, il faut bien que je jouisse un peu. " »

Commentaire de Vivant : « Jamais il n'y eut de bataille plus terrible, de victoire plus éclatante, de résultat moins prévu ; c'était un rêve dont il ne restait qu'un souvenir de terreur : pour la représenter, j'en fis deux dessins. J'ai voulu peindre dans ces deux sujets la guerre telle qu'elle est, généreuse et implacable, atroce et sublime. »

Les périodes de paix rendent les peuples amnésiques. Cet oubli est d'autant plus violent à notre époque, lorsque les privilégiés de l'ordre mondial regardent distraitement, chaque soir, les horreurs perpétrés « ailleurs » (et parfois à deux pas de chez eux). La réalité, de plus en plus transformée en spectacle, évacue le sang pour l'image du sang, et va de pair avec la commémoration « documentaire » des massacres du passé. Plus jamais ça, dit-on. Mais *ça* continue, *ça* fait partie de ce qu'on a pris l'habitude d'appeler, dieu sait pourquoi, la « nature humaine », et que Freud, homme des Lumières plus averti (tiens, un collectionneur d'Antiquités égyptiennes) appelait justement le *Ça*.

Quand tout semble calme, un acte terroriste vous rappelle *Ça*. La folie tente de vous ramener à *Ça*. Horreur, oubli : les humains, les mortels, marchent plus ou moins somnambuliquement entre ces deux gouffres.

Vivant :

« La mort planait autour de moi ; je la voyais à tout moment ; dans l'espace de dix minutes que nous fûmes arrêtés, trois personnes furent tuées pendant que je leur parlais ; je n'osais plus adresser la parole à personne ; le dernier fut atteint par un boulet que nous voyions tous deux arriver labourant le sol et paraissant au terme de son mouvement; il leva le pied pour le laisser passer, un dernier ressaut du boulet l'atteignit au talon et lui déchira tous les muscles de la jambe; blessure dont mourut le lendemain ce jeune officier, parce que nous manquions d'outils pour faire les amputations. »

Ou encore :

« Belliard, voyant que les moyens conservatifs usaient et les hommes et le temps, ordonna un assaut, qui fut donné et reçu avec une valeur inouïe; on ouvrit sous le feu la première circonvallation, et, à travers les fusillades et la sortie des assiégés, on introduisit des combustibles qui commencèrent à rendre leur retraite douloureuse : un de leurs magasins sauta; dès lors le feu les atteignait de toutes parts; ils manquaient d'eau, ils éteignaient le feu avec les pieds, avec les mains, ils l'étouffaient avec leurs corps. Noirs et nus, on les voyait courir à travers les flammes; c'était l'image des diables dans l'enfer : je ne les regardais point sans un sentiment d'horreur et d'admiration. Il y avait des moments de silence dans lesquels une voix se faisait entendre; on lui répondait par des hymnes sacrés, par des cris de combat; ils se jetaient ensuite sur nous de toutes parts, malgré la certitude de la mort. »

Le dédicataire officiel du *Voyage*, au moment de sa parution, en 1802, a beau être Bonaparte, il y en a un autre plus secret, plus vrai : Louis Charles Antoine Des Aix, dit Desaix, général mort à trente-deux ans, le 14 juin 1800, lors de la bataille de Marengo (qui, sans lui, était perdue contre les Autrichiens). C'est le héros dans toute sa pureté, d'autant plus célébré, bien entendu, qu'il est mort. Mais Vivant semble avoir eu pour lui une admiration sincère. C'était, dit-il, un ami des arts. On pouvait avoir avec lui des conversations de fond (exemple : que signifie exactement le désert ?). Un homme délicat, donc, mais aussi un excellent général. « Le talent de Desaix, dira Napoléon, était de tous les instants... C'était un caractère antique. Il aimait la gloire pour elle-même et la France par-dessus tout. »

Chateaubriand n'est pas loin de penser de même. Il rapporte dans ses *Mémoires* un mot d'un compagnon de voyage de Desaix : « Il aimait beaucoup les femmes, et n'aurait voulu mériter leur amour que par son amour pour la gloire. » Y a-t-il un autre moyen ? On peut en douter. Mais aussi cette anecdote : Desaix, en pleine campagne, reçoit une lettre de Bonaparte, et soupire : « Le pauvre Bonaparte est couvert de gloire et il n'est pas heureux. » Eh oui, Joséphine le trompe. Elle sera quand même Impératrice, mais pas pour très longtemps. On aimerait connaître la lettre du général Bonaparte, qui a suscité ce commentaire de la part du général Desaix.

Desaix, donc. C'est l'un des deux grands généraux « historiques » présents en Égypte (l'autre est Kléber, assassiné au Caire). L'insistance de Vivant sur le nom de Desaix (et, plus tard, le soin qu'il met à entretenir sa mémoire) est aussi une manière de faire pression sur Bonaparte, puis sur Napoléon. N'oublie pas qui t'a fait Empereur. Vivant aura chez lui, dans son invraisemblable reliquaire, des cheveux de l'un et de l'autre, comme s'il voulait se convaincre, chaque jour, que tout cela n'est pas un rêve, s'est réellement passé. C'est son « arbre sacré », si on peut dire. Il y a du miracle dans ces histoires. Chacun, d'une façon ou d'une autre, est amené à se pincer de temps en temps. Une médaille de

Desaix sera inscrite dans le socle de la colonne Vendôme. Auparavant, en 1805, il aura droit à des funérailles solennelles (toujours sous la surveillance de Vivant) au Grand-Saint-Bernard. Les Alpes, rien que ça. Qui dit mieux? Difficile. Les Invalides? Pas mal.

Denon, en Égypte, fait partie de la division Desaix, plus précisément de la vingt et unième demi-brigade. Mais voici:

« Nous nous faisions raconter des contes arabes pour dévorer le temps et tromper notre impatience... Sur cet article, Desaix et moi étions presque des sultans: sa mémoire prodigieuse ne perdait pas une phrase de ce qu'il avait entendu; et je n'écrivais rien de ces contes, parce qu'il me promettait de me les rendre mot pour mot quand je voudrais (...) Les enlèvements, les châteaux, les grilles, les poisons, les poignards, les scènes nocturnes, les méprises, les trahisons, tout ce qui embrouille une histoire et paraît en rendre le mouvement impossible, est employé par ces conteurs avec la plus grande hardiesse; et cependant l'histoire finit toujours très naturellement et de la manière la plus claire et la plus satisfaisante. »

Autrement dit: Desaix et moi étions d'accord sur l'essentiel, la mémoire, la force des contes. Notre voyage avait la même signification.

C'est le temple de Denderah (si étrangement évoqué, plus tard, dans *Les Chants de Maldoror* de Lautréamont) qui provoque, chez Vivant, le choc d'admiration décisif:

« Rien de plus simple et de mieux calculé que le peu de lignes qui composent cette architecture. Les Égyptiens n'ayant rien emprunté des autres, ils n'ont ajouté aucun ornement étranger, aucune superfluité à ce qui était dicté par la nécessité : ordonnance et simplicité ont été leurs principes ; et ils ont élevé ces principes jusqu'à la sublimité : parvenus à ce point, ils ont mis une telle importance à ne pas l'altérer, que, bien qu'ils aient surchargé leurs édifices de bas-reliefs, d'inscriptions, de tableaux historiques et scientifiques, aucune de ces richesses ne coupe une seule ligne ; elles sont respectées ; elles semblent sacrées ; tout ce qui est ornement, richesse, somptuosité de près, disparaît de loin pour ne laisser voir que le principe, qui est toujours grand et toujours dicté par une raison puissante (...) La confiance est le premier sentiment que doit inspirer l'architecture, c'en est une beauté constituante (...) Chez eux l'idée de l'immortalité de Dieu est présentée par l'éternité de son temple (...) *Jamais tant d'espace en un seul point ; jamais les pas du temps mieux prononcés et mieux suivis* (c'est moi qui souligne, en mettant mentalement cette phrase en exergue à *Point de lendemain*) (...) J'aurais voulu tout dessiner, et je n'osais mettre la main à l'œuvre ; je sentais que, ne pouvant m'élever à la hauteur de ce que j'admirais, j'allais rapetisser ce que je voudrais imiter ; nulle part je n'avais été environné de tant d'objets propres à exalter mon imagination (...) Tout parlait, tout était animé, et toujours dans le même esprit. L'embrasure des portes, les angles, le retour le plus secret, présentaient encore une leçon, un précepte, et tout cela dans une harmonie admirable (...) Le membre d'architecture le plus grave déployait d'une manière vivante ce que l'astronomie avait de plus abstrait à exprimer (...) La peinture ajoutait un charme à la sculpture et à l'architecture (...) La sculpture était emblématique, et, pour ainsi dire, architecturale. »

Quel texte, n'est-ce pas. Vivant note même : « Notre impatience française était épouvantée de la constante volonté du peuple qui avait exécuté ces monuments. » Il prend là une leçon de patience. Mais c'est bien comme un *monument*, devant être le plus beau de tous, qu'il envisagera le Louvre. Au point d'écrire à sa comtesse Albrizzi, en 1815, au moment où il va bientôt donner sa démission : « J'élevais, j'achevais le plus beau, le plus grand monument qui ait jamais existé. A présent, je ne suis là que pour le distribuer méthodiquement et prouver à l'Europe rassemblée qu'il y a encore un honnête homme en place. »

Vivant *retournera* à Denderah pour dessiner le planisphère ou zodiaque du lieu, dans les conditions les plus dures : « Le plancher très bas, l'obscurité de la chambre qui ne me laissait travailler que quelques heures dans la journée, la multiplicité des détails, la difficulté de ne pas les confondre en les regardant d'une manière si incommode, rien ne m'arrêta. » Il se souviendra du *torticolis* que lui a infligé sa visite.

Et voici la clé : « Ces sanctuaires ressemblaient à des coffres-forts par leur double enceinte précédée de tant de portes. Ces chambres consacrées à une nuit éternelle ; ce mystère répandu sur le culte, aussi obscur que les temples ; ces initiations, si difficiles à obtenir, auxquelles jamais un étranger ne pouvait être admis, dont on n'avait de notions que sur des rapports mystiques (...) ; tout annonce que ces temples contenaient, pour ainsi dire, l'*essence* de tout, que tout en émanait. »

Oui, décidément, étrange voyage, singulier Vivant. Il aura vu cette chose incroyable devant les ruines de

Thèbes (et non sans avoir aussitôt convoqué, dans son récit, Homère et Hérodote) : « L'armée, à l'aspect de ces ruines éparses, s'arrêta d'elle-même, et, par un mouvement spontané, battit des mains. » Des soldats en train d'applaudir des ruines ! Aussitôt, ajoute-t-il, « je trouvai des genoux pour me servir de table, des corps pour me donner de l'ombre, le soleil éclairant de rayons trop ardents une scène que je voudrais peindre à mes lecteurs, pour leur faire partager le sentiment que me firent éprouver la présence de si grands objets, et le spectacle de l'émotion électrique d'une armée composée de soldats, dont la délicate susceptibilité me rendait heureux d'être leur compagnon, glorieux d'être Français. »

En effet.

Il nous reste à traverser un ouragan : « L'air était terne et semblait opaque ; un horizon jaune faisait paraître les arbres d'un bleu décoloré ; des bandes d'oiseaux volaient devant les nuages ; les animaux effrayés erraient dans la campagne, et les habitants, qui les suivaient en criant, ne pouvaient les rassembler. » Malgré ces présages, Vivant tient à se baigner dans le Nil : « Mais à peine fûmes-nous entrés dans le fleuve qu'il se gonfla tout à coup comme s'il eût voulu sortir de son lit (...) ; nous fûmes obligés de sortir de l'eau ; alors nos corps mouillés et fouettés par la poussière furent bientôt enduits d'une boue noire qui ne nous permit plus de mettre nos vêtements ; éclairés seulement par une lumière roussâtre et sombre, les yeux déchirés, le nez obstrué, notre gorge ne pouvait suffire à humecter ce que la respiration nous faisait absorber de poussière... » Deux jours après, ce sont les sauterelles (et Vivant donne le dessin minutieux de l'une d'elles, aux deux-tiers de sa taille réelle) : « Elles sont couleur de rose, tachetées de noir, sauvages, fortes, et très difficiles à prendre. »

Dans tout cela, on remarque la ponctuation très particulière du récit : ces points-virgules sont comme de petites marches, des saccades. Les phrases finissent par composer une « armée électrique ». Voici, par exemple, « un petit pied de momie, qui ne fait pas moins honneur à la nature que les autres morceaux en font à l'art ; c'était sans doute le pied d'une jeune femme, d'une princesse, d'un être charmant, dont la chaussure n'avait jamais altéré les formes, et dont les formes étaient parfaites ; il me sembla en obtenir une faveur, et faire un amoureux larcin dans la lignée des Pharaons. »

Ce passage aurait enchanté le Freud de *La Gradiva*. Il aurait souligné, n'en doutons pas, la formule : « un amoureux larcin dans la lignée des Pharaons ». Mais oui, Denon est allé *jusque-là*. Ce pied de charmante momie, comme le masque de Robespierre, était en somme un des « clous » de sa collection privée. Un autre clou, mais que presque aucun contemporain ne pouvait vraiment *voir*, était le *Gilles* de Watteau. Mais cela est une autre histoire.

Car la grande *découverte* pour l'instant, celle qui parachève et signe le *Voyage*, est bien celle d'un papyrus : « Il faut être curieux, amateur, et voyageur, pour apprécier toute l'étendue d'une telle jouissance. Je sentis que j'en pâlissais (...) Je ne savais que faire de mon trésor tant j'avais peur de le détruire ; je n'osais toucher à ce livre, le plus ancien des livres connus jusqu'à ce jour ; je n'osais le confier à personne, le déposer nulle part ; tout le coton de la couverture qui me servait de lit ne me parut pas suffisant pour l'emballer assez mollement (...)

Sans penser que l'écriture de mon livre n'était pas plus connue que la langue dans laquelle il était écrit, je m'imaginai un moment tenir le *compendium* de la littérature égyptienne, le *thot* enfin. »

Si le dieu de l'écriture est avec nous, le reste s'ensuit.

Mme de T..., plus de vingt ans auparavant, était, en somme, une messagère de Thot.

Voilà, il faut rentrer. A Paris, où tout se prépare, le coup de force est en vue. Sur le bateau du retour, « Bonaparte, comme un passager, s'occupait de géométrie, de chimie, et quelquefois jouait et riait avec nous ».

Cela s'appelle revenir d'Égypte.

8.

Le Louvre du Baron masqué

Après trois ans de travail Vivant va donc publier en 1802, chez Didot l'Aîné, *Le Voyage dans la Basse et la Haute Égypte*. Le succès est foudroyant (vingt éditions dans les premiers mois). Un seul concurrent sérieux : *Le Génie du christianisme*, de Chateaubriand. Cette « rencontre », au début du siècle, n'a rien de fortuit : elle décrit, aujourd'hui encore, une certaine division française, un enjeu crucial.

La monumentale édition des savants de l'expédition, *La Description de l'Égypte*, est ainsi court-circuitée. Mais Vivant a fait plus que de la vulgarisation habile ; il vient de saisir l'histoire au vol et en profondeur. C'était le livre mythique qu'il fallait écrire et publier à ce moment-là, voilà tout. Chateaubriand a eu la même intuition. Les contraires se touchent.

Le *Voyage* est aussitôt traduit en anglais. Puis en allemand, hollandais, italien.

Dans sa dédicace, l'auteur n'y va pas de main morte :

* A BONAPARTE

« Joindre l'éclat de votre nom à la splendeur des monuments d'Égypte, c'est rattacher les fastes glorieux de notre siècle aux temps fabuleux de l'histoire : c'est réchauffer les cendres des *Sésostris* et des *Mendès*, comme vous conquérants, comme vous bienfaiteurs.

« L'Europe, en apprenant que je vous accompagnais dans l'une de vos plus mémorables expéditions, recevra mon ouvrage avec un avide intérêt. Je n'ai rien négligé pour le rendre digne du héros à qui je voulais l'offrir.

Vivant Denon. »

D'où l'on peut conclure que, non seulement le futur baron Denon a approuvé le coup d'État du 18 Brumaire, mais qu'il prépare déjà ouvertement la suite des opérations, c'est-à-dire la pharaonisation du général en question. Face à l'Europe, c'est déjà une déclaration d'Empire et d'entreprise dynastique.

Sésostris ? Il y en a eu trois, pendant la douzième dynastie du Moyen Empire, le plus connu étant Sésostris III (1878-1843 en « négatif » : on valorise pour la première fois officiellement les millénaires pré-chrétiens). Il a consolidé la conquête de la Nubie et soumis les grands féodaux. Ça tombe bien, c'est exactement ce qu'il s'agit de faire. La tradition grecque a fait de ce Sésostris-là un roi de légende.

Un peu plus tard, changement d'iconographie : nous aurons les profils conjoints de Ptolémée et de Napoléon. Ptolémée II Philadelphe, le créateur de la Bibliothèque, du Musée et du Phare d'Alexandrie. Suivez mon regard.

« Les hommes font leur propre histoire, mais ils ne la font pas de plein gré, dans des circonstances librement choisies ; celles-ci, ils les trouvent au contraire toutes faites, données, héritage du passé. La tradition de toutes les générations mortes pèse comme un cauchemar sur le cerveau des vivants. Et au moment précis où ils semblent occupés à se transformer eux-mêmes et à bouleverser la réalité, à créer l'absolument nouveau, c'est justement à ces époques de crise révolutionnaire qu'ils évoquent anxieusement et appellent à leur rescousse les mânes des ancêtres, qu'ils leur empruntent noms, mots d'ordre, costumes, afin de jouer la nouvelle pièce historique sous cet antique et vénérable travestissement et avec ce langage d'emprunt » (Marx).

Marx ajoute, admirablement : « Les révolutions bourgeoises, comme celles du XVIIIᵉ siècle, s'élancent toujours plus rapidement de succès en succès, leurs effets dramatiques se surpassent, hommes et choses semblent enchâssés dans des diamants de feu, chaque jour l'esprit est en extase : mais leur vie est éphémère, leur point culminant est bientôt atteint, et la société est prise d'un long mal aux cheveux, avant d'apprendre, une fois dessoûlée, à assimiler les résultats de son *Sturm und Drang*. »

Vivant est déjà dessoûlé. A vrai dire, il n'a jamais été ivre. Il va simplement tenter de *voir plus loin*. Rien de plus éloigné de lui que la réaction désabusée et plaintive (et, au fond, hypocrite) de David devant la dictature qui s'annonce : « Nous n'étions pas assez vertueux pour être républicains. » La question n'est pas là, et d'ailleurs elle a déjà trouvé sa réponse dans l'humour dévastateur du marquis de Sade : « Français, encore un effort... » Mais Sade va être l'ombre enfermée de la nouvelle conjuration. Vivant, lui, s'embarque. Il va participer à la manipulation. Jusqu'où va sa lucidité ? Mon avis est qu'elle est extrême. Nul ne peut sauter par-dessus son temps ? Sans doute. Mais tout le problème est de laisser des traces sérieuses de cette situation. Or la situation, au moment où Vivant agit, est encore « révolutionnaire », et Marx a raison de dire que, dans cette grande période (1789-1814) « la nécromancie servit à magnifier les luttes nouvelles, et non à parodier les anciennes ; à exalter dans l'imagination la tâche du moment, et non à reculer devant sa solution dans la réalité ; à retrouver l'esprit de la révolution, et non à laisser le champ libre à son spectre. » Bref, l'ère napoléonienne est encore un temps où « la rhétorique dépasse le contenu », alors que notre temps, il le démontre tous les jours, n'a pas encore trouvé la forme d'un contenu qui « dépasse la rhétorique. »

Marx croyait que la colonne Vendôme, dressée en 1810, « tomberait », et elle est en effet tombée un moment sous la Commune. Mais enfin, elle est toujours là où Vivant l'a placée. Le Louvre aussi, et même dix fois plutôt qu'une. Comme quoi le « contenu » entrevu par notre cavalier *dans le temps* allait plus loin que l'interminable XIXe siècle maintenu artificiellement dans les têtes. Qui en est réellement sorti ? On demande à voir.

« Hommes et choses semblent enchâssés dans des diamants de feu » : la formule de Marx n'est pas seulement splendide mais exacte. Il faut avoir été momifié par la mesquinerie moralisante des époques de restauration pour ne pas l'éprouver. Quand la réalité froide des affaires se fera jour, Vivant démissionnera. Mais quoi, il aura, avec le Louvre, fondé la plus bizarre et la plus solide des banques.

Conquêtes extérieures et guerre intérieure permanente sur deux fronts : telle est la tâche de Bonaparte en train de devenir Napoléon. Les conquêtes, pour Vivant, cela veut déjà dire son grand projet de *monument*. Les adversaires intérieurs sont les royalistes et les Jacobins, ce qu'on appellerait aujourd'hui l'extrême droite et l'extrême gauche. Il faut donc imposer une nouvelle règle monarchique *et* un accomplissement républicain. La France n'est rien d'autre que cette synthèse énergique et instable, de temps à autre décomposée, puis de nouveau rétablie. Le terme définitif de République s'est finalement imposé ? Nous vivons sous la Cinquième République ? Prétendre que nous sommes sous le Cinquième Empire serait, en effet, très exagéré.

L'expédition française en Égypte provoque un déluge d'égyptomanie. Le best-seller de Vivant en est une des causes. Noms de rues, pyramides funéraires, meubles, services de table, décorations en tout genre : le Sphinx pullule. Si on peut oser cet anachronisme, le complexe d'Œdipe est partout. Vivant est plus à l'aise avec cette question du meurtre du père (l'obélisque à la place où Louis XVI a été guillotiné) ? C'est l'évidence.

Ses dessins sont émouvants. Il a copié fidèlement, sans comprendre – mais savoir envelopper une forme, c'est déjà la comprendre –, des divinités, des scarabées, des os, tout un bric-à-brac de bijoux, de fragments de sculptures, des hiéroglyphes et encore des hiéroglyphes, des coiffures, des frises, des inscriptions. Ses « vues » sont souvent très belles, et j'avoue un faible pour celles, horizontales, faites depuis les bateaux. Il a établi des cartes, il a dessiné des batailles. On regarde tous ces soldats minuscules à Rosette, on est obligé de penser qu'ils vont être bientôt fondus comme du plomb. Il y a les temples, les tombeaux, les scènes légendaires (Desaix, avec son chapeau à plumes, menant un interrogatoire), les têtes d'habitants du pays, l'image de leurs coutumes (« Le Musulman entouré de tout ce qu'il aime »). Il y a tous ces blocs de granit *écrits* qui l'intriguaient tant.

A son retour, Vivant avait écrit à Isabelle :

« Ma tendre amie, je suis arrivé bien portant, j'ai fait et vu tout ce que j'avais projet de faire et voir ; j'ai rapporté un portefeuille qui intéresse tout le monde ; tu conserves de l'amitié pour moi, tout va donc à merveille...

« Il me reste maintenant à graver et faire graver mon voyage, ce qui sera une grande opération. J'ai demeuré, ou pour mieux dire croisé, un an dans la Haute Égypte, j'ai remonté à deux journées au-delà des Cataractes. Je n'ai éprouvé aucun accident, et suis revenu avec le même bonheur. Songe que c'est parce que tu m'aimes que cela va ainsi ; ne va donc pas m'aimer un grain de moins... »

Et le 3 mars 1800 :

« Te voilà donc avec un fils et moi de retour d'Égypte ; nous avons fait tous deux ce qu'il y avait de mieux à faire, mais nous n'avons pas fini : tu as ton fils à élever et moi mon ouvrage à mettre au jour ; la différence qu'il y a entre nous c'est que la fortune de ton ouvrage est faite et que celle du mien est à faire. J'ai plus de peine ici avec les graveurs que j'en ai eu avec les Égyptiens et les Arabes ; ils me ruinent et ne me satisfont pas (...) Je penserai en écrivant que tu me liras, et cela animera mon style. »

Et enfin (1803) :

« C'est une bien bonne chose que d'écrire des voyages. J'ai gagné beaucoup d'argent, et tout ce qui m'entourait en a fait de menu. Je ne sais comment cela se fait, mais le succès de mon livre augmente chaque jour. Je dois cela, je crois, à son extrême simplicité. Tu croiras, en le lisant, être avec moi, et ta bonté pour moi fera que tu ne pourras pas le juger.

« Il est bien vrai que j'ai une superbe place, que tout le monde a été bien aise que je l'eusse, qu'elle ne me sort pas de mes goûts, qu'elle me paiera de la dépense à laquelle

elle m'oblige, qu'elle ne change rien à mon existence ordinaire, et qu'il n'y a plus de raison pour que j'aie un instant de vide dans toute l'année. »

Une autre double vie commence. Elle se simplifiera en 1814, comme le prouve cette lettre à Isabelle du 27 mai de cette année-là :
« Tu veux connaître ma situation, la voici : je suis *provisoirement* tout ce que j'étais. J'ai déjà perdu 25 mille livres de rente, je n'en ai plus que 15 à perdre et puis *Jean s'en ira comme il était venu.* »

La présence diffuse de Vivant ? En voici une trace, dans un roman comme *Le Cœur Absolu.* Le narrateur est à Venise, il a fait venir par bateau jusque chez lui le secrétaire sur lequel il écrit :
« Je rentre chez moi... Je laisse mon corps se souvenir de lui-même, bras, jambes, respiration, peau, joues, front... Voilà le secrétaire Empire (...) Le temps est resté là, dans l'acajou, tranquille... Mince nappe résistante, invisible, pleine de traces de mots, comme un buvard d'air... Tablette absorbante... Le courant du guéridon occulte... Toutes les paroles y rentrent, y chauffent le bois, s'y taisent à jamais, ressortent, on dirait, en couleur luisante... Je l'ai fait venir de Bordeaux, le secrétaire... C'était beau de le voir arriver, bien attaché sur un canot, un matin de juin, à travers le bleu éclatant et le carillon des cloches (...) Le secrétaire " retour d'Égypte ", autrefois à droite dans la bibliothèque ouvrant sur le magnolia à fleurs blanches... »

Douze, treize ans ? Nous sommes donc en 1949. Je dormais de sommeils profonds dans un lit Empire. L'armoire et la bibliothèque, aussi, étaient Empire. La couleur or sur l'acajou ? Jaune, soleil et sphinx, sur fond de sang sombre. Je ne pense pas que j'aurais écrit *Le Cavalier du Louvre* sans ce souvenir précis.

La nouvelle fonction de Denon va se révéler éminemment stratégique. Il ironise lorsqu'il écrit à Isabelle que tout le monde a été content de sa nomination. Là où il dit vrai, en revanche, c'est qu'elle va l'occuper sans cesse. Un travail tuant.

L'arrêté du Premier Consul est daté de Saint-Cloud, le 28 Brumaire an XI (19 novembre 1802). Il nomme officiellement Dominique Vivant Denon directeur général des Musées. Ce qui veut dire : musée du Louvre, musée des Monuments français, musée de l'École française de Versailles, galeries des palais du gouvernement, Monnaie et Médailles, ateliers de chalcographie, gravures sur pierres fines et mosaïques. Et surtout, si on peut dire : acquisition et transport des objets d'art de l'État.

Ministre des Beaux-Arts ? Plus que ça. Il aura sous son contrôle les peintres, les sculpteurs, les graveurs ; les tapisseries (Gobelins, Aubusson), les porcelaines (Sèvres).

Un orchestre comme personne n'en a eu un avant lui.

Tout le monde, depuis, s'étonne. Où a-t-il pris cette énergie qui dépasse, de loin, ce qu'on exigeait de lui ? D'où lui est venue cette conviction de jour et de nuit, tantôt derrière un bureau, tantôt, à cheval sur les routes d'Europe à travers les batailles les plus meurtrières ? A quoi est due cette invraisemblable passion qui semble parallèle à celle de Napoléon lui-même ? Cette vie de forçat entre cinquante-six et soixante-huit ans ? Ambition ? Soif de pouvoir ? Fanatisme de collectionneur ? Aucune notion ne répond vraiment à ces questions. Quelqu'un a parlé d'*élan révolutionnaire*. S'il ne fallait craindre que cette expression ne soit plus comprise aujourd'hui, je dirais qu'elle est, de loin, la plus vraie.

Vivant, que la Grande Armée appellera bientôt « l'huissier-priseur de l'Europe », va faire manœuvrer, pour une guerre qu'il est seul à mener sur un plan secret, des milliers de soldats. La troupe, ici, ne se contentera pas d'applaudir les ruines de Thèbes. Elle sera un bataillon de conquête chargé de rapporter des *trophées*. La philosophie de cette « extraction », comme on a commencé à dire sous la Convention et le Directoire, est simple : « La République française, par sa force, la supériorité de ses lumières et de ses artistes, est le seul pays au monde qui puisse donner un asile inviolable à ces chefs-d'œuvre. »

Nous vous violons pour mieux vous rendre inviolables. Nous vous dépouillons pour mieux vous faire sentir vos richesses et, en somme, pour votre bien. Vous êtes en décadence, nous sommes l'avenir. Chateaubriand a eu ce raccourci de génie : « Bonaparte a dérangé jusqu'à l'avenir. »

Au fond, c'est comme si on expropriait du temps mort, des petites parcelles de propriété où les hommes ne se rendent même plus compte de ce qu'ils possèdent (les moines de Venise déjeuneront aussi bien sous un Le Brun que sous les *Noces de Cana* de Véronèse ; les émigrés ne savaient même pas reconnaître, on s'en souvient, un Poussin ou un Rembrandt d'une croûte de famille). Bref, il s'agit, dans un affaissement général, de revivifier la perception, la réflexion, la contemplation, la création. Quinze ans après, l'Europe tout entière aura compris la leçon et viendra réclamer à grands cris ce qu'elle aura appris, entre-temps, à admirer par la force.

Des Antiques sont déjà là, au Louvre, déménagées du Vatican : le *Laocoon*, l'*Apollon du Belvédère*. Ils seront bientôt rejoints par la *Vénus de Médicis* et bien d'autres. Visconti, qui restera (avec Lavallée) l'adjoint fidèle de Denon, le dit avec calme, et il parle comme quelqu'un qui vient de Rome : « L'*Apollon* est mieux là, au Louvre, on le voit dans toutes ses parties. »

Ces *Antiques* ont été vus, lors de son passage, de retour de Bordeaux, par un voyageur allemand et un poète du nom de Friedrich Hölderlin. Pour entrer au Louvre il n'aura eu à montrer que son passeport. A moins qu'il ait rencontré Vivant ? Pourquoi pas ? Nous ne sommes pas obligés d'en avoir la preuve matérielle. C'est en tout cas possible donc, d'une certaine façon (du moins pour moi), réel.

La fameuse lettre de Hölderlin à Böhlendorff date de l'automne 1802. Elle précède ce poème admirable, *Andenken*, qui, lui, sera écrit au printemps 1803. Dans sa lettre, Hölderlin commence par raconter son voyage à Bordeaux. Il a vu, dit-il, des « hommes et des femmes qui ont grandi dans l'angoisse du doute patriotique et de la faim. »
Puis : « L'élément puissant, le feu du ciel et le silence des hommes, leur vie dans la nature, modeste et contente, m'ont saisi constamment, et, comme on le prétend des héros, je puis bien dire qu'Apollon m'a frappé. »
Tout cela, dit Hölderlin, « m'a familiarisé davantage avec la véritable nature des Grecs ; j'ai appris à connaître leur caractère et leur sagesse, leur corps, leur manière de grandir dans leur climat et la règle par laquelle ils préservaient le génie présomptueux de la violence de l'élément. »

Mais voici qui nous intéresse directement : « L'impression produite par la vue des Antiques m'a fait mieux comprendre non seulement les Grecs, mais plus généralement l'art suprême, qui, même dans le mouvement et la phénoménalisation suprêmes des concepts et de toute opinion sérieuse, maintient toute chose pour soi en sa permanence, de sorte que la sûreté ainsi entendue constitue la forme suprême du signe. »

Hölderlin évoque encore cette expérience : « que tous les lieux sacrés de la terre se retrouvent en un même lieu, et la lumière philosophique autour de ma fenêtre, voilà ce qui fait maintenant ma joie. »

Dans *Andenken, Souvenir*, nous lisons ces vers à propos des marins atlantiques :

> *Eux,*
> *Pareils à des peintres, assemblent*
> *Les beautés de la terre, et ne dédaignent*
> *Point la Guerre ailée.*

Trois ans plus tard, après Iéna, un ami de Hölderlin, Hegel, aura la révélation concrète de « l'esprit du monde » en voyant passer un cavalier.

Tout cela, simplement, pour rappeler que la France était alors, non seulement la « grande nation », mais le creuset brûlant d'un autre monde.

Napoléon tiendra beaucoup à ce libre accès du public au Louvre. Les gens pouvaient entrer seulement le samedi et le dimanche de quatorze heures à seize heures. C'est peu, mais très insolite par rapport au passé. L'Empereur, juste avant la campagne de Prusse et la bataille d'Iéna, manifestera son mécontentement qu'on ait fait attendre les visiteurs : « Rien n'est plus contraire à mes intentions. »

Pourtant le Louvre que trouve Vivant à ses débuts est un endroit impossible, mal entretenu, squatté par des artistes qui y logent et y font leur cuisine. Ce musée ressemble plus à un asile qu'à un palais destiné à rassembler toutes les beautés de la terre. Vivant, on s'en doute, n'est pas spécialement partisan du désordre et de la malpropreté. Une note très sèche de lui, en 1808, insistant sur la nécessité, pendant des travaux, d'installer des latrines, est un bref chef-d'œuvre d'humour.

Qu'est-ce qu'on trouve là de nouveau ? Il y a ce qui a été pris aux émigrés, aux églises, aux collections royales. Les cargaisons venant de l'étranger suivront les opérations militaires. D'ailleurs, comment appeler cet endroit ? Une lettre de Cambacérès à Denon, du 3 Thermidor an XI, donc l'année même de l'entrée en fonction de Vivant, nous le dit :

« Je me fais un plaisir, Citoyen, de vous témoigner la satisfaction que j'ai éprouvée hier en visitant la galerie des statues antiques.

« Le titre qui convient le mieux à cette précieuse collection est le nom du Héros à qui nous la devons. Je crois donc exprimer le vœu national en vous autorisant à donner pour inscription à la frise qui domine la porte d'entrée ces mots : " Musée Napoléon. " »

En somme le deuxième consul Cambacérès est déjà archichancelier de l'Empire. Quant au citoyen Denon, Directeur général des Arts, il est libéralement « autorisé » à faire ce qu'il a demandé. Et, d'abord, donc, le ménage.

Il s'agit en effet de réaliser le « plus bel établissement de l'univers ». Pour cela, le despotisme « éclairé » de Napoléon est préférable au radicalisme de David. Ce dernier reste cependant au premier plan : on dérange le pape, on organise la grande pompe du sacre à Notre-Dame. Au pinceau (comme si on disait : à la caméra) : David. Superproduction hollywoodienne. Le pape Pie VII ne dit rien pour l'instant : il sait attendre. « Très bien, on marche dans ce tableau », dit Napoléon, enchanté que soit emphatisé son geste d'auto-couronnement et de sacralisation de Joséphine. « Vous avez beaucoup rajeuni l'Impératrice », reproche-t-on à David. A quoi celui-ci répond : « Allez le lui dire. »

Bien entendu, Napoléon, comme tous ses prédécesseurs (et ses successeurs), envisage l'art comme un moyen de propagande, et de formation « civique et morale » des citoyens. L'habileté de Vivant consistera à alimenter cette pulsion inévitable en essayant de la contrôler et à pratiquer, par rapport à elle, une défensive constante. Je vous fais *votre* art, mais laissez-moi décider de ce qu'est l'art *en général*. Il faut s'assurer des artistes ? Mais oui, il y en a, et de très capables. On les paiera. A part David, peintre officiel (et très cher), ils s'appellent Gros, Girodet, Gérard, Prud'hon. On leur passe des commandes, ils s'exécutent. Les portraits sont très recherchés. Les scènes de bataille sont minutieusement surveillées. Par exemple, décret du 3 mars 1806, fixant les sujets à traiter et les prix : « *La Bataille d'Austerlitz*, en choisissant le moment où Sa Majesté se porte sur les hauteurs de Pratzen, à l'instant où Elle fait placer la batterie et où Sa garde est occupée à enlever les blessés. Dans le fond, on représentera les lacs glacés sur lesquels l'armée russe s'engage et que le feu de la batterie fait ouvrir. Gérard, 12 000 francs. » Ou encore : « *L'Entrée à Vienne*. La députation des États présente les clefs de la ville à l'Empereur. Girodet, 12 000 francs. » Ou encore : « *L'entrevue de Sa Majesté l'Empereur Napoléon et de l'Empereur François II en Moravie*. Gros, 12 000 francs. » Ou encore, plus économique : « *L'Empereur visite les bivouacs la veille de la bataille* à 10 heures du soir. Bacler l'Albe, 6 000 francs. »

Chateaubriand dira cruellement : « Ce n'était pas tout de mentir aux oreilles, il fallait mentir aux yeux : ici, dans une gravure, c'est Bonaparte qui se découvre devant les blessés autrichiens, là c'est un petit *tourlourou* qui empêche l'empereur de passer, plus loin Napoléon touche les pesti-férés de Jaffa, et il ne les a jamais touchés ; il traverse le Saint-Bernard sur un cheval fougueux dans des tourbillons de neige, et il faisait le plus beau temps du monde. » Qu'importe : la représentation du plus fort est toujours la meilleure, et tous les rois n'ont pas eu de Vélasquez à leurs côtés. David, Gérard, Gros, Girodet sont-ils pour autant inférieurs aux peintres de cour « normaux » d'autrefois ? Non. La publicité est-elle aujourd'hui de meilleur goût ? On peut en douter très fort.

Mais *pendant ce temps-là* (comme on le précisait autrefois, sur l'écran, dans les films muets), on peut à loisir, en retrait, se demander ce qu'est l'art « lui-même ». C'est la question nouvelle, mais il ne faut pas trop le dire. Ne pas donner à Napoléon le sentiment qu'il n'y connaît rien (or c'est un fait), mais qu'en plus il n'est qu'une péripétie de l'Histoire. Péripétie très importante, mais péripétie. On pourra, par exemple, du jour au lendemain, rebaptiser *Musée Royal* le musée qui porte son nom. Musée Napoléon, Royal, Impérial, Républicain, ou, tout simplement, Louvre : qu'importe le nom pourvu qu'on ait la chose. Et la chose, c'est une autre relation de l'homme à la représentation et au Temps. Une remémoration, une distance, un dégagement.

Le plus étonnant est que Napoléon se montrera d'une grande patience avec Denon. Il s'énerve deux ou trois fois, sans plus. Il le soutient constamment. Il est sûr de lui, et il a raison. Chateaubriand, qui avoue, entre lui et l'Empereur, une incompatibilité radicale (malgré des scènes de séduction réciproques) avait certainement raison de décrire Napoléon en ces termes : « Domination personnifiée, il était sec. Cette frigidité faisait antidote à son imagination ardente, il ne trouvait point en lui de parole, il n'y trouvait qu'un fait, et un fait prêt à s'irriter de la plus petite indépendance : un moucheron qui volait sans son ordre était à ses yeux un insecte révolté. »

Vivant se gardera bien d'avoir l'air de voler sans l'ordre de Sa Majesté. C'est un insecte expert en simulation, ce qui ne veut pas dire en mensonge.

Les problèmes généraux et particuliers se traitent (du moins au début) lors des *déjeuners*. Ils ont lieu aux Tuileries. L'Empereur s'entoure de Monge, Berthollet, Fontanes, David, Denon. Vivant finira par être le privilégié. Mais, pour en arriver là, il faudra mettre les choses au point (contre le ministère de l'Intérieur et contre l'Intendant Daru, pour obtenir un budget autonome).

« Je vous ai voué mon existence, Sire ; tout ce qui dépendra de mes seules facultés vous appartiendra jusqu'à mon dernier soupir. Ce n'est donc pas de l'oisiveté que je sollicite, mais de ne plus porter le titre d'une place qui n'existe déjà plus et progressivement est arrivée à celle d'un premier commis. Votre Majesté a arrêté, pour un but sans doute nécessaire, qu'elle serait absolument subalterne, mais Elle voudra bien me permettre de lui faire observer qu'ayant, à seize ans (tiens, renseignement intéressant : seize ans ? vraiment ? il veut faire croire qu'il a pu connaître Mme de Pompadour !), exercé à la Cour la place de gentilhomme, qu'ayant été employé dans des missions honorables en Russie et en Italie, si, pour mon plaisir, j'ai cultivé les arts avec quelque succès, si en accompagnant Votre Majesté j'ai augmenté mes connaissances, je n'ai pas dû me promettre que ce serait pour arriver dans ma vieillesse à n'être considéré que comme un artiste ou devenir un chef de bureau. Il est tout simple de n'avoir point d'emploi, mais il faut que celui que l'on accepte convienne à l'état où l'on est né. »

Lettre magnifique : dites-moi, Majesté, vous n'allez tout de même pas me prendre pour un artiste ou un chef de bureau ? Que vous vous présentiez comme Majesté n'implique pas que j'aie oublié où était la Majesté légitime. Vous avez tendance à oublier Le Caire, les Pyramides, Marengo. Faut-il vous rappeler Barras, Joséphine ?

Même ton dans une autre lettre : « Sire, lorsque Votre Majesté nomme un conseiller d'État, elle en fait sans doute un homme considérable. Mais en faire un homme de goût, je crois que c'est là que fault Sa toute-puissance. »
Et encore : « Si Votre Majesté ne veut pas être habillée ou si elle veut l'être ridiculement, il n'y a qu'à adopter la décision de la Commission (du Conseil d'État). Je vous demande donc, Sire, la permission de ne consulter que le bon goût et de m'en tenir à votre volonté. »
Ou encore, lorsque l'Empereur veut offrir un autel au Pape : « Je suis loin de chercher à critiquer ce que d'autres vous proposent, mais je crois de mon devoir, Sire, de vous dire que l'ensemble de ce présent est composé de parties incohérentes. »

Vivant, ou la guerre du goût. Il a prononcé unilatérale-
ment la séparation de l'État et du goût. L'État, c'est vous ;
le goût, c'est moi. C'est comme ça ou rien : « il est tout
simple de n'avoir pas d'emploi. » En général, Napoléon
est loin de tolérer des insolences pareilles. Mais c'est un
militaire avisé : il sait que son général du goût serait difficilement remplacé. Là-dessus, Vivant redevient charmant.
Comme le dit un acteur français dans un film comique :
« Majesté, votre Sire est trop bonne. » Revenons donc aux
choses sérieuses, la fonction transhistorique du Louvre.

Vivant a déménagé, puisqu'il avait là un appartement,
et que tout le monde doit quitter les lieux. Il va d'abord
rue des Orties, et puis au 5, quai Voltaire. C'est là qu'il
entassera sa collection personnelle et que, d'ailleurs, il
mourra. Qui aurait pu penser, doit-il se dire, que le quai
des Théatins d'autrefois, quand j'ai quitté Paris, s'appele-
rait un jour *quai Voltaire* ? Napoléon : « Comment était Frédéric de Prusse ? Parlez-moi encore de lui. Et Voltaire ? Et
Catherine de Russie ? »
On sait quel cadeau l'Empereur finira par faire à
Vivant : un écritoire en or, dans une boîte de vernis Mar-
tin, avec plume porte-crayon en or, offert jadis par Voltaire à Frédéric II. Sur le couvercle, Sa Majesté a fait graver la phrase suivante : « Écritoire de poche de Frédéric le
Grand, roi de Prusse, pendant la guerre de sept ans,
donné par Bonaparte à Denon. »
A tout seigneur tout honneur. La boucle est bouclée.

Le Louvre a donc maintenant son espace. On va lui
donner son temps, celui du classement raisonné. Les salles
sont organisées : celle dite des « fleuves » pour la

sculpture; celle « du bord de l'eau » pour la peinture. On y trouvera la cargaison amenée du palais Pitti à Florence (Michel-Ange, Jules Romains, Andrea del Sarto, Giorgione), et la *Transfiguration* de Raphaël servira de centre à une exposition italienne (dont les Véronèse : *Les Noces de Cana, Le Repas chez Lévi*). La Grande Galerie comptera bientôt 945 tableaux. L'Italie en regorge, mais il y a aussi l'Autriche, l'Allemagne. Il suffit d'aligner le nom des villes : Austerlitz, Ulm, Iéna, Berlin, Potsdam, Cassel. C'est, il ne faut pas craindre d'employer un mot que les historiens se refusent pudiquement, la razzia. Parfois, on achète ; le plus souvent, on enlève. En 1806-1807, par exemple, en Prusse, « l'extraction » concerne 278 toiles, des ivoires, des bronzes, des bustes, des objets d'art indiens et chinois, des sculptures en bois, des gravures, dessins, médailles, 400 volumes dans une bibliothèque, des objets grecs, romains, égyptiens, plus 250 tableaux de la galerie du Belvédère à Vienne (une autre source, pour Vienne, donne le chiffre de 401 tableaux enlevés au grand désespoir du directeur du Belvédère, le peintre miniaturiste F. H. Füger ; l'ambassadeur de France, Andréossy, accompagnait Vivant dans ce travail).

On pourra ainsi, au Louvre, « faire *sans s'en apercevoir* (je souligne) un cours historique de l'art de la peinture ».

Sur le fond, et d'instinct, Bonaparte est d'accord. Pour bien marquer que, Musée Napoléon ou pas, il considère ce lieu comme magique, il est venu, le 15 août 1803, visiter les Antiques avec Joséphine (tirée du lit) à *six heures du matin*. Il ira encore plus loin, en 1810, puisque c'est là qu'il voudra se marier religieusement, à la catholique romaine, avec Marie-Louise d'Autriche. Pour ce faire, il faudra que Vivant transforme en chapelle le Salon carré, le cortège

nuptial s'avançant par la grande galerie sous les applau-
dissements des invités triés sur le volet. « Mais, objecte
Denon, c'est vraiment très difficile de déplacer tous ces
tableaux. » « Alors, qu'on les brûle ! » dit Napoléon, décidément redevenu Bonaparte. De Notre-Dame (1804) au
Louvre (1810) : le chemin est impressionnant. Au fait,
combien de fois Napoléon s'est-il marié ? Trois fois : deux
fois, qu'il a fallu annuler, avec Joséphine (un mariage civil
et un religieux en catimini pour cause de Sacre avec
Pape), et une fois canoniquement pour rejoindre la Cour
des Grands. Pas de chance : le Pape, maintenant, est
contre, et vient d'excommunier Sa Majesté. Que d'histoires.

Toutes les « extractions » ne vont pas au Louvre, et
Vivant, le plus souvent, s'en désole. Il faut « nourrir » Fontainebleau, Compiègne, la Malmaison. Certains maré-
chaux (Soult, par exemple) sont très intéressés par la
valeur des œuvres, valeur au sens trébuchant et sonnant.
Joséphine, surtout, est avide. Douze toiles disparaissent
par ici. D'autres, parmi lesquelles une descente de croix de
Rembrandt, sont vendues en douce. Le tsar Alexandre Ier
paiera ainsi à Joséphine 940 000 francs. Pauvre femme, il
fallait bien qu'elle compense l'adversité. Et puis Vivant
l'aime bien, comme le prouve la façon dont il s'adresse à
elle (entre 1804 et 1810) :

« Madame,
« Avant d'avoir fait serment d'obéir à ma gracieuse souveraine, je lui avais déjà juré un éternel et absolu dévouement. Je n'ai donc oublié Votre Majesté dans aucune des
opérations qui m'ont été ordonnées. J'ai en conséquence
ajouté toujours nombre de choses curieuses à celles qui
étaient l'objet de ma mission, telles que petits tableaux

charmants, turquoises travaillées dans le xv⁰ siècle, camées, etc., choses que je suis assuré que S. Mté l'Empereur sera ravi de vous voir rapportées, l'ordre de vous les remettre sera la récompense des soins que j'ai mis à les rassembler. Je voudrais qu'il fût en mon pouvoir de faire autrement encore ce qui pourrait être agréable à Votre Majesté, mais je suis précisément celui qui ne peut employer d'autres moyens quelque envie que j'eusse de les employer tous. »

Faut-il lire, entre les lignes, une ancienne liaison brève et intime entre Vivant et l'Impératrice, comme ne manquera pas de le faire un esprit mal tourné, trop imprégné de xviii⁰ siècle, *libertin* en somme ? « Je vous ai déjà juré un éternel et absolu dévouement » : vous vous souvenez, Majesté ? J'avais avec vous d'autres moyens, alors. Vous n'avez pas changé, moi non plus. Mais enfin, ce n'est plus le moment. Je sais que vous aimez les *turquoises*. Demandez à votre mari de me donner l'ordre de vous les donner.

Le mari en question, d'ailleurs, on le remarie avec Marie-Louise à coups de médailles. Ainsi, le 14 juillet 1810, Vivant peut-il écrire au comte de Montesquiou qui succède à Talleyrand comme Grand Chambellan (cette lettre aurait ravi Proust) :

« Monsieur le Comte,
« J'ai l'honneur de prévenir Votre Excellence que neuf cents médailles du mariage de Sa Majesté (1ʳᵉ dimension) en argent, ont été déposées au Trésor de la Couronne par le comptable de la monnaie des médailles. On continue la fabrication des 300 en argent, et 300 en bronze qui restent à fournir. Elles seront déposées au Trésor à la fin de la semaine prochaine et les 200 en or de la 3⁰ dimension seront remises le mercredi 18 de ce mois. »

Pas un seul renseignement sur la vie privée de Vivant à l'époque? Non. En général, nous ne savons rien sur son existence personnelle. C'est tout de même étonnant. Une femme, deux, trois, quatre, cinq, six, sept? Le simple fait qu'il ne se soit jamais marié (si on se marie, c'est toujours avec la société) suffirait à faire de lui une sorte de héros. Mais si mon hypothèse est exacte (liaisons avec des femmes de pouvoir), alors tout s'explique. Discrétion renforcée, affaires d'État, destruction de correspondance, absence de traces : c'est la règle. De toute façon, en allant vers la soixantaine, on peut imaginer que Vivant s'est plutôt assagi (mais c'est là, justement, qu'il aurait dû être rattrapé par le mariage : eh bien, non). En termes modernes, nous pourrions dire que sa *libido* n'a pas baissé, puisqu'il n'arrête pas d'augmenter son activité : notes en tout genre, rapports, lettres de recommandations, voyages-éclairs des plus dangereux, travail avec seulement deux assistants au milieu des caisses, intrigues et jalousies internationales, questions militaires et diplomatiques, tout cela en gardant le *coup d'œil*. Quand dormait-il? On ne sait pas.

Il faut, chaque année, penser au « Salon », moduler les rivalités entre artistes, s'assurer de la fidélité du public et de l'opinion (favorable). Chateaubriand raconte : « Girodet avait mis la dernière main à mon portrait. Il le fit noir comme j'étais alors; mais il le remplit de son génie. M. Denon reçut le chef-d'œuvre pour le salon; en noble courtisan, il le mit prudemment à l'écart. Quand Bonaparte passa sa revue de la galerie, après avoir regardé les tableaux, il dit : " Où est le portrait de Chateaubriand? " Il savait qu'il devait y être : on fut obligé de tirer le proscrit de sa cachette. Bonaparte, dont la bouffée généreuse était exhalée, dit, en regardant le portrait : " Il a l'air d'un conspirateur qui descend par la cheminée. " »

Il y a l'organisation des salles du Louvre. On les dispose harmoniquement : écoles française, italienne, allemande, flamande, hollandaise. L'Espagne est trop absente. Vivant part pour Madrid, manque de se faire assassiner sur les routes, replace, à Burgos, les ossements du Cid dans son tombeau (l'armée avait dérangé les restes de ce considérable personnage médiéval), garde un fragment d'os « du Cid et de Chimène » pour son Reliquaire (et fait exécuter un tableau légendaire de la scène où il contemple, à la Shakespeare, le crâne du Cid), ramasse ce qu'il peut, mais, déjà, l'Espagne est peu sûre, la moisson est mince. Ce que les Espagnols pensent des Français ? Un Espagnol va le dire en peinture. La Grande Armée est tombée sur un os, descendant de l'esprit du Cid. Il a du génie, cet os, c'est un peintre imprévu qui mourra en exil à Bordeaux. Il s'appelle Goya. Les fusillés du *Tres de Mayo* vont témoigner à la face du monde entier des atrocités françaises. Vivant ne verra pas ce tableau.

L'Italie reste le pays idéal du prélèvement. Paul-Louis Courier, presque seul, décrira les misérables déprédations commises par les soldats napoléoniens à Rome (cet Hermès, par exemple, mutilé par les nouveaux barbares). Vivant fait ce qu'il peut, il se sent responsable (et cela explique beaucoup de choses), il fait venir à Paris la collection de la villa Borghèse, donne son avis sur les jardins du Pincio. Interdiction des couvents en Italie, en réponse à l'excommunication de Napoléon par le Pape ? Résultat : tableaux, sculptures, tableaux, tableaux, tableaux.

Il y a un discours de Vivant sur « les Monuments d'antiquités arrivés d'Italie ». Il date du 8 Vendémiaire an XII : « Des milliers de manuscrits ont enrichi nos bibliothèques, des tableaux sans nombre, des bas-reliefs, des portraits rares et précieux, des vases, des colonnes, des tombeaux, des colosses, ont traversé des terres et des mers ennemies (...) Collection surprenante, fruit de circonstances inouïes, résultat de la perfection des arts dans tous les siècles, ce monument des monuments, le plus grand de tous les trophées, élevé à la plus grande de toutes les gloires. »

Dire que court encore, sur Denon, la légende d'un dilettante, d'un dandy « épicurien », d'un sceptique à demi assoupi dans une existence prudente ! C'est la version d'Anatole France qui, cela dit, a le mérite d'en parler quand tout le monde a choisi de l'oublier ; une version quand même très Troisième République. Plus question d'épopée impériale, silence sur le Louvre, prudence sur toute la ligne (un peu de Terreur dans *Les Dieux ont soif*, mais pas trop, attention, la Révolution est un bloc, il ne faut douter ni du progrès ni du socialisme, et surtout ne pas donner des armes à la Réaction).

— Vous justifiez la dictature, l'impérialisme, le colonialisme, l'autocratisme à base plébiscitaire ?

— Pas vraiment. Je constate qu'il n'y avait pas d'autres moyens à ce moment-là.

— Et la police, l'espionnage, la gendarmerie omniprésente en province, l'ouverture du courrier, le retour du clergé après le Concordat, le culte de la personnalité sous toutes ses formes, les fêtes grotesques comme celle de saint Napoléon le 15 août ?

— L'Être Suprême promettait pire. D'ailleurs l'Assomption est revenue.

— On s'en passerait.

— L'humanité peut se passer de tout. Napoléon, à la fin, sans doute à propos de l'Anarchie, a eu une phrase étrange : « J'ai conjuré le terrible esprit de nouveauté qui parcourait le monde. » L'esprit « qui toujours nie ? ». Il voulait peut-être parler du Diable, après tout.

— Je ne vous parle pas du Diable, mais de la démocratie, des libertés, de l'émancipation des peuples, du respect de l'autre, des droits de l'homme.

— Eh bien, il y a eu les lycées, l'instruction publique, les grandes écoles, le progrès général des sciences, le code civil. Dire que Stendhal admirait le style d'une phrase comme « Tout condamné à mort aura la tête tranchée. »

— Il fallait abolir la peine de mort.

— Quand ?

— Dès le début.

— Au paradis terrestre ? Mais, sans peine de mort, pas de Révolution ni de consolidation des Droits de l'homme !

— Tant pis. L'Histoire doit être idéale.

— Oui, mais elle ne l'est pas.

— Alors, plus d'Histoire.

— Plus d'Histoire, plus de pensée. Je vous ferai remarquer que la répression, sous l'Empire, a été peu sanglante.

— Cela méritait bien la Légion d'honneur !

— Minimum de hiérarchie, ouverte au mérite.

— Et cette nouvelle aristocratie singeant l'ancienne ! Le baron Denon !

— Ça amusait Vivant. Ça n'a pas duré.

— Et la boucherie des champs de bataille ?

— Notre siècle a fait pire. Mais oui, c'est le plus pénible.

Napoléon respecte Vivant pour son courage physique. Il l'a connu en Égypte. Dans les guerres d'Europe, il le voit au feu. Un boulet tombe, projette de la terre sur le

242

papier de ce bizarre dessinateur à cheval ? « Tiens, j'étais sûr de vous trouver où il y avait du fracas », dit l'Empereur. Voilà un directeur de musées comme on n'en fera plus. Bonaparte aime bien ce cavalier du Louvre. Il lui donne la Légion d'honneur et le nomme baron. A titre, aussi, militaire. Les arts et les armes : rien de gratuit.

Nous sommes en 1812. C'est le désastre de Russie. Chateaubriand, là, se surpasse :

« Le 6 novembre, le thermomètre descendit à dix-huit degrés au-dessous de zéro : tout disparaît sous la blancheur universelle. Les soldats sans chaussures sentent leurs pieds mourir ; leurs doigts violâtres et roidis laissent échapper le mousquet dont le toucher brûle ; leurs cheveux se hérissent de givre, leurs barbes de leur haleine congelée ; leurs méchants habits deviennent une casaque de verglas. Ils tombent, la neige les couvre ; ils forment sur le sol de petits sillons de tombeaux. On ne sait plus de quel côté les fleuves coulent ; on est obligé de casser la glace pour apprendre à quel orient il faut se diriger. Égarés dans l'étendue, les divers corps font des feux de bataillon pour se rappeler et se reconnaître, de même que les vaisseaux en péril tirent le canon de détresse. Les sapins changés en cristaux immobiles s'élèvent çà et là, candélabres de ces pompes funèbres. Des corbeaux et des meutes de chiens blancs sans maîtres suivaient à distance cette retraite de cadavres. »

Vous rassemblez, dans une même équation, un modèle de stratégie militaire (attaque sur les arrières, enveloppement par les ailes) ; l'érection d'une colonne qui va faire interminablement rêver et parler (Vendôme) ; la construction d'un Arc de Triomphe surmonté des légendaires chevaux de Venise, eux-mêmes enlevés, jadis, aux Turcs de

Constantinople (Carrousel). Vous disposez ensuite, de façon réciproquement éclairante, des toiles de Raphaël, Holbein, Dürer. De là, descendant de cheval, les oreilles encore pleines du bruit du canon et du gémissement des blessés, vous passez (car tout est important) à la *porcelaine*. Voilà la vie de Vivant.

« Il m'est venu », écrit-il à Brongniart – l'administrateur des manufactures de Sèvres –, « il m'est venu dans la tête un charmant groupe égyptien d'une facile exécution pour porter des fruits crus, glacés ou secs et qui tout à la fois entrerait dans le service " Vues d'Égypte " et la décoration du surtout. »

Le *Voyage en Égypte* continue à travers des tasses, des assiettes, des plats, des soucoupes, des seaux à glace. On verra ainsi, en miniature, les temples de Philae, d'Edfou, de Denderah, les colosses de Memnon, le Sphinx. Le goût sera ainsi formé inconsciemment à travers des thés, des *goûters*. « Il faudrait remplir l'espace des tableaux des peintures égyptiennes telles que vous pouvez en trouver dans ma collection, avec les couleurs que vous indiqueraient les estampes colorées du grand ouvrage de la commission d'Égypte. Sur la partie bleue vous pourrez mettre des hiéroglyphes, à la manière de ceux qui sont sur la bordure des assiettes. »

Quelque part, un jour, une nouvelle Mme de T... portera à ses lèvres du bleu porcelaine avec hiéroglyphes. Vivant n'a pas pu ne pas voir fugitivement cette scène. Elle a sûrement eu lieu. Elle aura encore lieu.

Même histoire avec les médailles en tout genre. Elles iront partout, dans l'espace et le temps. Vivant a dit qu'il avait trouvé la fabrication des médailles dans un état de « barbarie ». On doit lui accorder ce type de vérité, et s'habituer à penser, aussi, que les nouvelles générations de peintres, échappant à la glaciation de David et de Robespierre, auront vu, grâce à lui, les Italiens ou Rubens. Ils pourront faire des *comparaisons*. Ingres n'aime pas le caractère de Denon ? Il va jusqu'à se réjouir de sa mort ? Allons, allons, jalousie, il aura pu acquérir sous son règne des notions fondamentales de relativité plastique. Au salon de 1812, un débutant se fait remarquer : Géricault. Quand les Prussiens commenceront à déménager une partie du Louvre pour récupérer des tableaux, Vivant dira avec ce genre de hauteur qu'il prend quelquefois : « Qu'ils les emportent, il leur manque des yeux pour les voir, et la France prouvera toujours par sa supériorité dans les arts que ces chefs-d'œuvre étaient mieux ici qu'ailleurs. »

Eh bien, cinquante ans après cette déclaration, où sont les peintres ? En France. Et qui décide de l'art pour l'ensemble de la planète ? Manet, Cézanne. Allez au Louvre, et, ensuite, dans la nature, dira le dernier. Pas de nature sans Louvre, pas de Louvre sans nature.

En 1814, à la veille de l'entrée des troupes étrangères dans Paris, le Louvre abrite donc, entre autres, le Laocoon, l'Apollon du Belvédère, la Vénus de Médicis, la collection Borghèse. Et puis, toujours entre autres, 24 Poussin, 7 Vinci, 9 Corrège, 15 Véronèse, 10 Tintoret, 25 Raphaël, 24 Titien.

Le plus jaloux, c'est-à-dire le plus lucide, sera l'Anglais Hamilton qui pense à l'avenir des musées anglais (c'est lui qui a récupéré, en Égypte, la pierre de Rosette). L'intendant général des armées prussiennes, lui, s'appelle Ribbentrop. Ça ne s'invente pas.

Que s'est-il passé ? Vivant vient de se livrer à sa dernière grande acrobatie diplomatique. En 1814, après

Waterloo, les adieux de Fontainebleau, l'exil de Napoléon à l'île d'Elbe, à quoi pense-t-il ? A sa grande découverte à lui, à lui seul : les Primitifs italiens. Il est revenu récemment d'Italie avec la conviction que ces peintres totalement méconnus ont une importance considérable. Cimabue, Fra Angelico, Giotto, Masaccio, Ghirlandaio. Il écrit : « Lorsque ces peintures seront arrivées à Paris, je les réunirai à plusieurs tableaux de l'École allemande et flamande du XIVe et du XVe siècle qui sont déjà au musée, et je ne doute pas que leur exposition dans une pièce particulière n'intéresse vivement les artistes, en ce qu'elle leur indiquera le point d'où la peinture est partie, pour produire des merveilles, et l'époque de la splendeur des arts en Italie. »

On s'accorde en général, aujourd'hui, pour juger ce coup d'œil de Vivant, à l'époque, comme un coup de maître.

Les Russes, les Autrichiens, les Prussiens, les Anglais occupent Paris, mais Vivant, lui, sans aucun état d'âme, rebaptise illico son Musée et ouvre son exposition. Elle aura beaucoup de succès. Le catalogue a pour titre : *Notice des tableaux des Écoles primitives de l'Italie, de l'Allemagne et plusieurs autres tableaux de différentes écoles exposées dans le grand Salon du Musée Royal, ouvert le 25 juillet.*

Le roi est revenu ? Vive le roi. Le roi est obligé de repartir à cause du retour inopiné de l'Empereur pendant les Cent Jours ? Adieu le roi, vive l'Empereur. L'Empereur est battu définitivement, et le roi revient ? Vive le roi, de nouveau. *Le Musée d'abord.*

Cette fois, quand même, Vivant est allé *un peu loin.*

Mais Louis XVIII n'est pas bête : il sait que ce souriant et fanatique Denon va se battre pour son Louvre, et, finalement, pour les intérêts de la France. Il va donc le maintenir jusqu'à ce que la question des restitutions soit réglée. Après, démission à l'amiable. Pour le moment, Denon, montrez-moi ces merveilles. Plus lentement, s'il vous plaît.

Vivant écrit : « Des circonstances inouïes avaient élevé un monument immense ; des circonstances non moins extraordinaires viennent de le renverser. Il avait fallu vaincre l'Europe pour former ce trophée ; il a fallu que l'Europe se rassemble pour le détruire. »

Il va quand même rester beaucoup de choses. On se défend pied à pied. On corrompt qui on peut (Canova, par exemple). Seront « sauvés » : cent tableaux (dont *Les Noces de Cana*) vingt et un antiques, les Camées du Pape, des vases, des sculptures, les bas-reliefs Albani, les sculptures du prince Baschi, huit cents dessins de la collection du duc de Modène.

Ribbentrop, donc. Et le maréchal Blücher, dont les canons sont sur le Pont-Royal. L'armée autrichienne descend de l'arc du Carrousel les chevaux de Venise. Une émeute a failli éclater. Mais rien à faire, les vaincus sont les vaincus. Et Venise, à ce moment-là, appartient à l'Autriche.

Blücher, en visitant le Louvre, dira à Metternich, en parlant de Napoléon : « Pourquoi est-il allé en Russie alors qu'il avait ici toutes ces merveilles ? » Question de bon sens.

Vivant écrit pour se plaindre au roi de Prusse Frédéric-Guillaume III, qui lui répond aimablement. Denon ? Celui qui possède l'écritoire offert par Voltaire au grand Frédéric ? Soyez polis avec ce monsieur, s'il vous plaît. Pas de violences.

Les plus durs sont, bien entendu, les Anglais, qui ont désormais la voie libre pour leur expansion impériale. Wellington, par exemple qui, écrit le 23 septembre 1815 : « Il est à désirer pour le bonheur de la France et pour celui du monde que si le peuple français n'est pas déjà convaincu que l'Europe est trop forte pour lui, on le lui fasse sentir. »

Cela, en effet, va faire bientôt deux siècles qu'on le lui *fait sentir*. Goering et Goebbels, en raflant des tableaux à l'Orangerie, à Paris, ont-ils pensé à 1815 ? C'est possible. Depuis, nous sommes entrés dans la grande migration, le plus souvent occulte, des œuvres d'art. Les vols nazis ont été relayés par l'occupation russe de l'Allemagne, et le tout dépend désormais du trafic mafieux mondial. Vivant a-t-il trafiqué personnellement ? Il y a bien une remarque désagréable de Mme de Rémusat dans ses *Mémoires*, mais dans l'ensemble, il ne semble pas.

Wellington insiste : « Tant que ces œuvres resteront, elles ne peuvent manquer de faire vivre dans la nation française le souvenir de ses anciennes conquêtes et d'entretenir son esprit militaire et sa vanité. »

Un des billets les plus énigmatiques reçus par Vivant, dans cette éprouvante période, est de l'écriture de Guillaume de Humboldt. Le Humboldt du langage ? Mais oui. Celui du rapport entre langage et pensée ? Lui-même. Il était donc à ce moment-là à Paris ? Il faut croire, puisqu'il a laissé ces mots à l'adresse de Vivant :

« Humboldt est venu offrir ses amitiés à monsieur le Baron Denon, et lui dire que le tout s'arrangera tel qu'il le désire. On ne sera que trop heureux de faire, *à la fin*, quelque chose qui puisse lui être agréable. »

De quoi s'agit-il ? On ne sait pas. C'est le baron von Humboldt qui a souligné *à la fin*.

Il y un autre témoin. Il a trente ans. Il a été nommé, par son cousin napoléonien, Inspecteur du mobilier et des bâtiments de la Couronne. Il voit souvent cet « aimable M. Denon » qui est bien nerveux, ces temps-ci, à cause de son Musée. Ce jeune homme est très attentif. Il s'appelle Henri Beyle, et sera plus connu, bientôt, sous le nom de Stendhal.

Pas d'*Histoire de la peinture en Italie,* ni de *Rome, Naples, Florence* sans l'épopée de l'Empereur et, plus discrètement, sans Vivant ? C'est l'évidence. Voilà encore un célibataire avisé, qui observe quelque part : « Avant et depuis saint Charles Borromée, les curés du Milanais ont eu des maîtresses. Rien ne semble plus naturel, personne ne les blâme ; on vous dit avec simplicité : " Ils ne sont pas mariés. " J'ai vu une dame tenir beaucoup, un dimanche matin, à ne pas manquer la messe qui fut célébrée par un prêtre son amant. Cela est conforme au Concile de Trente, qui a déclaré que si le diable lui-même se déguisait en prêtre pour administrer un sacrement, le sacrement serait valable. »

Le 15 juin 1809, Vivant et Stendhal sont côte à côte dans l'église des Écossais, à Vienne, pour la cérémonie funèbre en l'honneur de Joseph Haydn. Un témoin, Andreas Streicher écrit : « L'église des Écossais était tendue de noir, et ornée au chiffre de son nom (H, donc). Le catafalque était au milieu de l'église, et les médailles qui avaient été frappées en son honneur, au nombre de huit, se trouvaient exposées sur un coussin de soie noire près du catafalque. Le ministre Maret, le président Denon, et de nombreux généraux et officiers français ont assisté au requiem. On ne pouvait pénétrer dans l'église qu'avec un billet d'invitation. »

Pendant cette messe très particulière, la musique exécutée est celle du *Requiem* de Mozart.

Le 25 juin, Stendhal écrit à sa sœur Pauline :

« Haydn s'est éteint ici il y a un mois environ ; c'était le fils d'un simple paysan, qui s'était élevé à l'immensité créatrice par une âme sensible et des études qui lui donnèrent le moyen de transmettre aux autres les sensations qu'il éprouvait. Huit jours après sa mort, tous les musiciens de la ville se réunirent à Schotten-Kirche pour exécuter en son honneur le *Requiem* de Mozart. J'y étais, et en uniforme, au deuxième banc ; le premier était rempli de la famille du grand homme : trois ou quatre pauvres petites femmes en noir et à figures mesquines. Le *Requiem* me parut trop bruyant et ne m'intéressa pas ; mais je commence à comprendre *Don Juan*, qu'on donne en allemand, presque toutes les semaines, au théâtre de Wieden. »

Pas de place « au deuxième banc » sans Vivant. Stendhal, qui va écrire les *Vies de Haydn, de Mozart et de Métastase*, n'a pas encore l'oreille assez exercée pour savoir entendre le *Requiem*. Quant à *Don Juan en allemand*, on frémit.

N'empêche : cette scène est diablement intéressante. Elle me rappelle que l'Ordre des Sophisiens était placé sous les auspices d'H. (Horus). On peut difficilement être plus ouvertement Francs-Maçons que Mozart et Haydn. Horus : le faucon ou le soleil ailé. Musique.

Je connais de vrais et de faux naïfs qui feignent de croire que si Vivant n'a pas *avoué* plus clairement être l'auteur de *Point de lendemain*, c'est par délicatesse et dandysme supérieur. Mais ils ignorent (ou veulent passer sous silence) ce qu'était le devoir de réserve pour un fonctionnaire. Stendhal, consul à Civitavecchia, dans les États pontificaux (l'Autriche lui a refusé l'exequatur pour Trieste) connaîtra cela. Devoir de réserve, surtout sous les régimes puritains (on pouvait tout montrer au Louvre *sauf* le XVIIIe siècle, ce qui explique le *Gilles* de Watteau planqué par Vivant dans son appartement), et *a fortiori* dans les périodes de Restauration. Rappelons l'avertissement de Stendhal : *Intelligenti pauca!* C'est « en réserve » que Stendhal écrira *Souvenirs d'égotisme* et *La Vie de Henry Brulard*.

Quelques dates : 6 avril 1839, publication de *La Chartreuse de Parme* ; 24 juin, départ de Stendhal pour Civitavecchia ; 14 octobre 1840, Stendhal prend connaissance de l'article de Balzac sur *La Chartreuse de Parme* ; 30 novembre, la frégate *La Belle Poule* rapporte en France les restes de Napoléon ; 15 décembre, funérailles de Napoléon aux Invalides.

Vivant, en 1840, est mort depuis quinze ans.

Imaginons-le ouvrant *La Chartreuse*, et lisant les premières phrases : « Le 15 mai 1796, le général Bonaparte fit son entrée dans Milan à la tête de cette jeune armée qui venait de passer le pont de Lodi, et d'apprendre au monde qu'après tant de siècles César et Alexandre avaient un successeur. Les miracles de bravoure et de génie dont l'Italie fut témoin en quelques mois réveillèrent un peuple endormi... »

Ces hommes qu'on dit froids ou secs sont, sans doute, les plus sensibles. Les plus « fantastiques », aussi, et, pour s'en convaincre, il faut regarder le projet de Vivant pour la place de la Bastille, *La Fontaine de l'éléphant*. Ou encore la gravure, d'après Zix, qui représente *Denon au Louvre* : il est dans un sous-sol encombré de ses réalisations au Musée et dans Paris, c'est le capitaine Nemo à vingt mille lieues sous les siècles, il a une plume dans la main droite, il se penche sur la gauche pour consulter un gros volume posé par terre. Une vive lumière, tombant d'en haut, éclaire ce portrait allégorique. Partout, des statues, des médailles ; un obélisque, la colonne Vendôme en maquette ; tout est très clair : *je suis une allégorie.*

L'allégorie, en 1815, est quand même un homme de soixante-huit ans, légèrement fatigué par toutes ces aventures. Le 3 octobre, le comte de Pradel lui écrit : « J'ai eu l'honneur de rendre compte au roi, Monsieur le baron, de la conduite que vous avez tenue pour conserver à la couronne les tableaux et autres objets d'art qui ont été enlevés par les commissaires des princes alliés. Sa Majesté en a été satisfaite. »

Pas besoin d'insister. Vivant écrit aussitôt à Louis XVIII : « Sire, mon âge avancé, ma santé dérangée me commandent le repos. J'ose donc le demander à Votre Majesté. »

Sa Majesté consent. Majesté, votre Sire est trop bonne.

Vivant n'a pas trop de soucis à se faire. Il n'a pas été *régicide.* La Terreur Blanche et la Chambre introuvable ne le trouveront pas. C'est qu'il est bien caché, comme seul un vrai professionnel sait le faire : en plein jour.

9.

Un philosophe au bord de la Seine

Il quitte son palais du Louvre, Vivant, il a le choix, pour traverser la Seine, entre le pont du Carrousel ou le pont Royal, il rentre chez lui, sur le quai, juste en face. Combien de fois aura-t-il fait cet aller, ce retour, hiver, été, printemps, automne. L'eau, les arbres, la sensation vivante de ce grand bateau à l'ancre qu'est Paris, c'est-à-dire, pour lui, il l'a cru, il le croit toujours, le centre du monde.

Il laisse une rive du fleuve du temps, il passe sur l'autre. Cette fois, il restera chez lui le matin, souvent l'après-midi, quelquefois le soir. L'autre versant de la scène appartient maintenant à d'autres. Il ira voir ce qu'ils font, en promeneur ou en visiteur.

Que fait-il ? Il classe, il range, il retrouve intacte sa passion de dessiner et surtout de graver. Pour lui, tout finit par des gravures. Il va s'intéresser beaucoup à ce procédé technique nouveau : la lithographie.

La langue a raison de parler de mémoire gravée. L'écoulement du temps est bruit et fureur ? Beaucoup de bruit pour rien ? Tourbillon ? Illusion ? Écume ? Jeu du néant avec des formes éphémères comme des feuilles ? Sans doute. Mais la *gravure* ne se poursuit pas moins, en silence. C'est ce silence qui a toujours intéressé Vivant. Ce mutisme massif rencontré, enfin, en Égypte. Cette discrétion de l'accumulation en plein désert. Ce défi à toute actualité lente, toujours trop lente. Il pense à ce révolutionnaire qui parlait, dans une belle formule, du « bruit de cataracte du temps ». Ce qui l'attire, lui, c'est l'éclair de l'instant dans une dimension millénaire. Personne ne comprend cela ? Taisons-nous. Ils bavardent, ils calculent, ils tuent, ils évaluent, ils s'usent, mais ils n'y *voient* pas. Il leur manque des yeux pour voir. Ici, en revanche, on prend un crayon, du papier, et tout est changé.

Pour le reste, ce sera toujours la même devise : ne pas se plaindre, ne pas expliquer. C'est grâce à ce principe que les Anglais ont fini par prendre l'Égypte. La société est devenue une énorme banque d'affaires ? Soit, laissons-la s'affairer.

A qui pourrait-il confier aujourd'hui, sans paraître fou, naïf ou ridicule, qu'il ne s'intéresse pas à la *valeur* mais aux *signes* ? Autant discourir de la couleur avec des aveugles ou de l'harmonie avec des sourds. Tout cela n'est pas grave, d'ailleurs, et a toujours été plus ou moins ainsi. Ce qui ne veut pas dire qu'il n'y a pas des moments pour agir. Il a agi.

Prendre son temps, ressentir la plus grande quantité et qualité de temps possible : le *Reliquaire*, que tout le monde trouve si bizarre (dévotion sénile ? plaisanterie macabre ?) est le signe de cette passion. Ce n'est pas tout d'avoir « fait son temps », il faut l'inscrire dans une relativité générale. Va-t-il écrire ses *Mémoires*, Vivant ? Eh non, et c'est bien, au fond, ce qu'on lui reproche. Il emporte ses secrets avec lui. Sa collection, finalement, il s'en fiche, il n'y pense jamais en termes d'investissement, de spéculation, de capital. Elle se vendra d'ailleurs assez mal, les gens, à l'époque, ont autre chose en tête comme « placements ». C'est nous, aujourd'hui, qui lisons ces prix misérables pour tous ces chefs-d'œuvre et qui les imaginons en train de faire flamber Sotheby's ou Christie's. En quoi on peut dire que le baron Denon était, en effet, très en avance sur son temps. New York, Tokyo, Londres, Genève, seraient à ses pieds, chaque jour, avec des ponts d'or. Ce n'est pas du tout son style. Il ne rédige aucun testament.

Pas de Mémoires, pas d'outre-tombe, pas de justification. Vivant n'a aucune confiance dans l'avenir, sauf, peut-être, très lointain. Il a trop connu le présent comme explosion, le passé comme longue durée coupée d'accélérations rayonnantes et de retombées interminables. Il ne croit plus, s'il y a jamais cru, à un développement linéaire des progrès de l'esprit humain. Est-il pour autant devenu sceptique ? Pas davantage. Il voit ce qui est, et ce qui est, là, devant lui, est enthousiasmant.

Il ne souhaite pas une immortalité dans l'esprit de ses contemporains, mais, qui sait, très au-delà, ou très en retrait. Chaque jour va lui suffire, sans peine. A la limite, respirer, marcher, contempler, c'est assez.

Habite-t-il au 5, quai Voltaire, ou au 9 ? Les avis divergent, les numéros ont changé, on hésite à identifier son immeuble. Disons : au 5-9. Pas la moindre plaque commémorative : c'est parfait. Pour un homme qui s'est tellement dépensé en inscriptions pour les autres, cette absence est même un comble. Il était dit que nous commémorerions tout sauf le Grand Commémorateur.

En revanche, par l'inventaire après décès du 16 mai 1825, nous connaissons bien son espace personnel et son mode de vie. Dans la cave, son vin de Bourgogne. Dans la cour, une remise pour chaise de poste ayant beaucoup servi, et une collection de harnais (« nous relayâmes, et repartîmes comme l'éclair »). Trois chambres pour domestiques, plus que convenables, dont l'une avec fauteuil et bergère garnie de velours d'Utrecht.

A l'entresol, cuisine et office. Beaucoup de linge de maison dans une grande armoire. Une vaisselle abondante (plus de cent pièces), des services à thé ou à café très utilisés, comportant beaucoup de pièces plus ou moins cassées.

Le salon est tendu de taffetas cramoisi et de rideaux de taffetas blanc. Des consoles, des tables d'acajou à plateaux de marbre blanc, un grand lustre à quinquets. Deux canapés, douze fauteuils, douze chaises, le tout pouvant accueillir une trentaine de personnes. Vous entrez là, et vous vous trouvez en compagnie de Raphaël, Corrège, Caravage, Titien, Véronèse, Rembrandt, Breughel, Rubens, Van Dyck.

Le cabinet de travail, lui, a deux grandes fenêtres donnant sur une terrasse. Il est tendu de drap blanc. Vivant travaille donc ici, sur un petit bureau d'acajou, éclairé la nuit de deux quinquets portés par des bras fixés (je rappelle qu'un quinquet est une lampe à huile à double courant d'air dont le réservoir est plus haut que la mèche). Deux fauteuils pour des visiteurs, deux chaises. Une table à manger, signe non équivoque de repas de célibataire.

Là, dans ce cabinet, sont accrochés les portraits et des scènes intérieures de peintres hollandais. Si on travaille, on est donc plutôt en Hollande (je rentre d'Amsterdam, je comprends pourquoi).

La chambre, enfin, donne sur le quai Voltaire. Un grand lit, avec trois matelas de laine, des couvertures, une couette, un traversin et des oreillers (minutie du notaire, qui s'appelle d'ailleurs Maître *Couchère*!). Une grande glace en deux morceaux, avec cadre doré. La variété des peintures déconcerterait tout autre que moi : comment peut-on en effet accrocher, côte à côte, des sujets aussi contradictoires qu'un paysage de Breughel de Velours, une Vierge à l'enfant de Vouet, une Sainte-Famille de Sébastien Bourdon et *Le Sacrifice à l'Amour* de Fragonard ? Le notaire n'en revient pas. Drôle de client. Mais *justement*. Vivant est seul chez lui, dans son lit, parfaitement libre, aucune femme ni aucun notaire (au fond, c'est pareil) ne peuvent le persuader d'être plastiquement correct. On n'est pas non plus dans une exposition. Bref : chez soi, seul, comme dans un musée arrangé pour soi seul, voilà le mystère.

Vous ajoutez une salle de toilette, avec baignoire sabot en cuivre verni, deux commodes en acajou à dessus de marbre blanc, vous imaginez l'eau chaude amenée par un établissement de bains, voisin – et vous avez la navette complète du cosmonaute. Maître Couchère vient de vous dire ce qu'il y avait chez le regretté Baron Denon récemment décédé. Ce n'est pas tout, il a d'autres morts à inventorier le jour même.

J'imagine Vivant dans ces années-là, celles où il ressent encore qu'il n'ira pas « au bureau », de l'autre côté du fleuve, dans la grande masse grise du Louvre. Les matinées sont silencieuses, il peut de nouveau, comme à Venise, se lever tard. Il se remet au travail. Il consulte son agenda : quatre visites, deux naturalistes, un artiste italien, un autre, allemand. Ils veulent voir la collection. C'est entendu, on va tenter de leur transmettre quelque chose.

Aujourd'hui, pas de séance à l'Institut, qui est la porte à côté. Pas de dîner non plus, malheureusement, chez Mme d'Houdetot, cette vieille amie qui enchantait Rousseau, et qui vient de mourir. Aller dîner chez la princesse de Talleyrand ? Peut-être, mais elle est si sotte. La première fois que Vivant a été son invité d'honneur, elle lui a demandé pourquoi, dans son best-seller, le personnage de Vendredi apparaissait si tard dans le récit : « il est si intéressant que j'aurais voulu le connaître plus tôt. » La princesse a confondu *Le Voyage dans la Basse et la Haute Égypte* et *Robinson Crusoé*. Vivant, comme d'habitude, ne dit rien, il sourit. D'ailleurs, la princesse, sans s'en rendre compte, vient d'avoir un trait de génie. Robinson Crusoé, finalement, il y pense, c'est tout à fait lui. Ne se retrouve-t-il pas, d'une certaine façon, seul sur une île déserte ? Talleyrand, la veille, a dû dire à sa femme : « Denon vient dîner, jette donc un coup d'œil sur son livre. » Denon ? C'est bien cet original qui a fait des voyages extraordinaires et qui a mille choses à raconter ? Defoe était un aventurier, lui aussi, un agent politique. Tout ça se rejoint. Defoe, Denon, un autre. Un siècle de différence ? Qu'importe ? Une gaffe de princesse, c'est un mot charmant, une étourderie, une lubie.

Oui, une île déserte, mais très animée et où les affaires reprennent. Les étrangers sont frappés de la beauté de Paris : nouveau boulevard des Italiens, Tuileries, Luxembourg. Dès ce moment, le promeneur parisien est roi : qui voit la Seine noie ses peines.

Il faudra toute la légende noire du XIXᵉ siècle, sa rumination romantique, mélancolique, ésotérique, populiste, misérabiliste ; son retour au gothique, son hugolâtrie ; son déchaînement naturaliste, réaliste et sentimentaliste, pour mettre entre parenthèses, comme dans une série de passes hypnotiques (dont le comte de Lautréamont sera l'un des rares à se réveiller), *l'évidence* de Paris. Qui a inventé ce brouillard psychique ? La culpabilité des Français eux-mêmes ? Le spectre menaçant de Wellington ? L'Europe occultement conjurée par peur du retour du monstre Bonaparte (qui reviendra, certes, mais sous sa forme parodique avec Napoléon III) ? Un peu de tout cela, et le reste. Rien de plus singulier que d'être en état d'éveil dans Paris. D'user librement de cette ville des villes. Rien de plus naturel que d'attendre une nouvelle Mme de T... à la sortie de l'Opéra, et de partir à toute allure, en voiture, pour un hôtel particulier près de Versailles, avec promenade dans le parc, bras dessus, bras dessous, avec elle, *au petit matin*. C'est encore possible, à la fin du xxᵉ siècle ? Mais oui, courage.

Vers 1820, donc, les voyageurs « découvrent » Paris. On leur a raconté les horreurs de la Révolution et les ravages de l'Empire, et ils voient des gens comme vous et moi, plutôt instruits, parlant un langage précis et vif. Il y a même, un peu partout, des femmes et des jeunes filles qui lisent. Cela les étonne, les visiteurs, leur plaît, les chagrine : il va falloir vivre *ailleurs*. Reste donc à convaincre les Français qu'ils sont très malheureux et indignes d'habiter ici, à les diviser pour régner, en somme : action psychologique intensive et de longue haleine. Malgré plusieurs actes de résistance souvent isolés de la part des indigènes dont certains avaient quand même le plus grand mal à oublier leur splendeur passée (notamment celle du xviiiᵉ siècle), ça n'a pas si mal marché, merci.

Vivant, nous l'avons vu, est expert en masques. Le dernier qu'il prend, dicté par la nécessité, va être parfaitement efficace. Tout le monde, peu à peu, répétera de lui le même cliché. Il est « aimable », « satirique », mais « bon ». On a envie qu'il ressemble à Voltaire ? Qu'à cela ne tienne, il resssemblera à Voltaire. Vous voulez des anecdotes piquantes ? En voilà.

Il écrit à Isabelle, sa comtesse restée à Venise : « On prend la douceur de mon caractère pour une profonde philosophie, et tout ce que j'ai vu pour de l'érudition. » Il a compris que, désormais, seule comptera la philosophie « profonde » et l'érudition. Il vaut mieux dissimuler son expérience, ne pas dire « j'étais là », mais faire semblant d'avoir appris. De toute façon, il est préférable de passer pour un amateur. Vivant joue très bien à l'amateur. Lady Morgan, l'Irlandaise, est, par exemple, une proie de choix. Elle est impressionnée par la collection, séduite par l'homme, toute prête à populariser (c'est ce qu'il faut) l'image d'un original affable et sans danger. Elle voit souvent Vivant, elle le fait parler, elle écrira un livre retentissant (*La France*, 1817). Comme, devant elle, il passe d'un sujet de sciences naturelles (la vie des crocodiles) à des questions esthétiques, en italien, avec d'autres interlocuteurs, elle s'émerveille : « Mais quel est donc votre secret pour avoir tant de connaissances ? Vous avez dû étudier beaucoup pendant votre jeunesse ? » A quoi Vivant lui répond « d'un air aisé » : « Tout au contraire, je n'ai jamais rien étudié parce que cela m'a toujours ennuyé ; mais j'ai beaucoup observé, parce que cela m'amusait. Ceux qui en savent plus que moi me conseillent, ce qui fait que ma vie a été remplie et que j'ai beaucoup joui. »

Lady Morgan écrit que Vivant a dit « joui ». Pour une oreille anglaise, ce n'est pas indécent puisque le mot « jouir » n'existe pas en anglais. La chose non plus ? Ce serait trop fort de le dire. Vivant a-t-il donné un exemplaire de *Point de lendemain* à Lady Morgan ? Peu probable. Mais, après tout, on ne sait jamais.

Il faut quand même faire attention. Le Baron Denon n'est pas « régicide » (comme David, qui mourra en exil à Bruxelles), mais il est très compromis. Nous connaissons une gravure royaliste réalisée contre lui en 1816. C'est une dénonciation claire. Vivant est représenté lubriquement, en bouc nu, avec des oreilles pointues de satyre, en train d'encenser le dieu égyptien Apis, à tête de taureau et à seins proéminents. La scène se passe dans une crypte du Louvre. Et voici la légende :

> *Dans l'enfance des arts on adorait Apis,*
> *Ibis, chats et magots, trop illustre de Nom,*
> *On les fêtait encore avec Napoléon,*
> *Mais les arts pour fleurir n'attendent que les lys.*

Où l'on voit que le jeu de mots Denon : De Nom, était compris par tout le monde, et que la vieille pruderie catholique était prête à voir le diable partout. Dans sa malveillance, qui nous paraît innocente et comique, se glisse malgré tout l'accusation d'avoir, sous couvert de Louvre, poursuivi des buts sourdement religieux (ce qui, en un sens, n'est pas faux).

Dans une autre caricature, *Figaro et sa tête à perruque,* on voit Lavallée, l'adjoint de Vivant au Louvre, en train de manipuler le Directeur réduit à une sorte de guignol, en lui offrant un *magot* (figurine trapue chinoise, donc : « argent caché, somme importante »). A terre, des bouteilles de vin (ils passaient leur temps à boire du bourgogne dans les souterrains du musée !). De la main gauche, le rusé fonctionnaire compte des pièces d'or. On lit : « Projet de travail à insinuer à celui qui prend ma volonté pour la sienne. » Et sur des boîtes entassées : « Bénéfice que je tire de ma tête à perruque » (le Baron). Ou encore : « États de mes bons et loyaux services ». Dans cette version (plutôt jacobine), Vivant aurait été une sorte d'aristocrate nigaud qu'on entretenait par de petits cadeaux, pendant qu'en réalité *on faisait des affaires.*

Tout cela ne prend pas d'ampleur, l'oubli vient vite. Vivant tient son rôle : voyez, je ne suis qu'un dilettante, un collectionneur, un *curieux*, une survivance de l'Ancien Régime prise dans une vaste tourmente, une sorte de *Cousin Pons*, ou de Robinson Crusoé. La tactique est payante. Les spectateurs ne demandent qu'à s'abuser, et, surtout, à croire à votre superficialité enjouée, voire même à votre insignifiance. On ne parle plus de la dédicace du *Voyage* à Sésostris-Bonaparte. Ce serait fâcheux.

A part des amis que nous ne connaissons pas, et dont la chronique ne nous parle pas davantage, Vivant ne peut être en confiance qu'avec son neveu Brunet (qui va hériter de lui). Il était en Égypte, le neveu. Il a perdu un bras à Essling. Il est général. Il sait de quoi il est question.

Nous ne savons pas non plus ce que Vivant a ressenti, en 1821, à l'annonce de la mort de Napoléon à Sainte-Hélène. Le plus grand hommage à l'Empereur viendra finalement, non des vaincus, réduits plus ou moins au silence (et suspects deux fois, aux yeux des royalistes et des républicains), mais du vainqueur « éclairé » qui sait se placer dans la perspective historique : Chateaubriand. Il est beau que le vainqueur, tout en y mêlant des critiques, fasse l'éloge du vaincu. Ce sont les plus belles pages des *Mémoires d'outre-tombe.*

« Bonaparte est grand pour avoir abattu tous les rois ses opposants, pour avoir défait toutes les armées quelle qu'ait été la différence de leur discipline et de leur valeur, pour avoir appris son nom aux peuples sauvages comme aux peuples civilisés, pour avoir surpassé tous les vainqueurs qui le précédèrent, pour avoir rempli dix années de tels prodiges qu'on a peine aujourd'hui à les comprendre. »

Et encore : « Il sera la dernière des grandes existences individuelles ; rien ne dominera désormais dans les sociétés infimes et nivelées... »

Et ceci, sur la mort du héros (dont Beethoven n'aurait pas dû rayer le nom dans sa dédicace de la *Symphonie héroïque*) :

« Napoléon, botté éperonné, habillé en uniforme de colonel de la garde, décoré de la Légion d'honneur, fut exposé mort dans sa couchette de fer ; sur ce visage qui ne s'étonna jamais, l'âme, en se retirant, avait laissé une stupeur sublime. Les planeurs et les menuisiers soudèrent et clouèrent Bonaparte en une quadruple bière d'acajou, de plomb, d'acajou encore et de fer-blanc ; on semblait craindre qu'il ne fût jamais assez emprisonné. Le manteau que le vainqueur d'autrefois portait aux vastes funérailles de Marengo servit de drap mortuaire au cercueil. »

Cette allusion à Marengo est importante : c'est là que Desaix a fait pencher la balance de l'histoire. Et c'est encore un souvenir d'Égypte, un signe adressé à tous les anciens de l'expédition.

Lors du transfert des restes de Bonaparte à Paris, Chateaubriand (qui s'y oppose pour des raisons politiques) écrira quand même : « Bonaparte a passé par le tombeau comme il a passé partout, sans s'y arrêter. »

En 1816, silence. Vivant rentre chez lui. Il n'a pas peur. Il n'a d'ailleurs spolié ou maltraité personne. Et puis, c'est finalement l'homme invisible. C'est peut-être à lui que Stendhal pense, dans ses *Privilèges* : un individu qui pourrait, en tournant une bague de son doigt, cesser d'être perçu par les autres. Et plusieurs autres fantaisies, inventées pour les *happy few*.

Il rentre chez lui, il tourne trois fois son anneau magique, il allume son lustre à quinquets, et alors, *comme s'il n'était plus de ce monde*, il assiste, dans l'enchantement, en sa propre absence, à son monument en réduction, à sa collection. Ici, nous comprenons mieux quelle devait être la destination du *Reliquaire*. Vivant *devient* (comme le narrateur de *La Recherche du temps perdu*, dans son sommeil) des fragments d'os du Cid, de Chimène, d'Héloïse, d'Abélard ; des cheveux d'Agnès Sorel ; un peu de la moustache de Henri IV ; un morceau du linceul de Turenne ; des atomes des corps de Molière et de La Fontaine ; une étincelle du génie militaire du général Desaix ; cette *incisive* de Voltaire. Ce soir, dans le compartiment où se trouve déjà la signature autographe de Bonaparte, il va ajouter ce qu'un voyageur vient de lui rapporter en grand secret : un pan ensanglanté de la chemise que portait Napoléon à sa mort, ainsi qu'une feuille du saule qui pousse près de son tombeau, à Longwood. Si le « monument des monuments », le Louvre, avait pu aller jusqu'à une « consécration » finale, le *Reliquaire*, un peu comme à Canterbury, aurait occupé une place à part, quasiment mystique. Un Panthéon, oui, mais concentré, à la mémoire des Grands Hommes ou des Grandes Figures dans le Temps. Un contre-Panthéon, même, plus discret, moins emphatique, où l'on notera la forte proportion d'écrivains et la présence de deux femmes.

Pour la feuille de saule, elle confirme ce qu'écrit Chateaubriand racontant la fin de l'enterrement de Napoléon à Sainte-Hélène : « Chacun se retira, tenant à la main une branche de saule, comme on revient de la fête des palmes. » Et ceci : « La solitude de l'exil et de la tombe de Napoléon a répandu sur une mémoire éclatante une autre forme de prestige. Alexandre ne mourut point sous les yeux de la Grèce ; il disparut dans les lointains superbes de Babylone. Bonaparte n'est point mort sous les yeux de la France : il s'est perdu dans les fastueux horizons des zones torrides. Il dort comme un ermite ou comme un paria dans un vallon au bout d'un sentier désert. La grandeur du silence qui le presse égale l'immensité du bruit qui l'environna. Les nations sont absentes, leur foule s'est retirée ; l'oiseau des tropiques, *attelé*, dit Buffon, *au char du soleil*, se précipite de l'astre de la lumière ; où se repose-t-il aujourd'hui ? Il se repose sur des cendres dont le poids a fait pencher le globe. »

Bonaparte, d'une certaine façon, est mieux enterré dans ces phrases, ou dans le *Reliquaire* de Vivant, qu'aux Invalides. Du moins, je le crois.

L'esprit de vengeance, ou de ressentiment, contre Vivant se fera insidieux, précisément dans le temps. Prenons le *Grand Larousse Universel* du XIXᵉ siècle : il dit tout. En exergue au dictionnaire, d'abord, ces phrases qui visent à rassembler la clientèle. La première est de Monseigneur Dupanloup, de l'Académie française : « Le dictionnaire est à la littérature d'une nation ce que le fondement, avec ses fortes assises, est à l'édifice. » Un édifice dont Monseigneur Dupanloup est le fondement ne peut qu'être éternel. Deuxièmement une « devise française » : « Fais ce que dois, advienne que pourra. » Tous les hommes de devoir achèteront ce dictionnaire. Troisièmement, une formule dite de droit criminel : « La vérité, toute la vérité, rien que la vérité. » Voilà les magistrats rassurés. Vérité, que de crimes on commet en ton nom ! Enfin, dans la vieille orthographe, source de satisfaction pour les érudits et les notaires amateurs de Belles-Lettres : « Cecy est un livre de bonne foy. » Montaigne nous montre la voie.

De la mauvaise foi, « positive, inhérente et constante » (comme disait Vivant), en voici donc, à l'article *Denon* (une colonne et demie, là où, bien entendu, Diderot, Voltaire et Rousseau ont droit à dix pages). Denon, nous dit Larousse, fut « surtout courtisan ». « L'homme étrange qui nous occupe eut une carrière bizarre, où les platitudes semi-narquoises du flagorneur émérite se mêlent à la bravoure insouciante du gentilhomme français, à l'austère fierté de l'artiste convaincu, *à l'immortalité d'un Lovelace* » (je souligne). A Saint-Pétersbourg, « nous le voyons trahissant ses maîtresses pour ses maîtres, *pêchant les secrets d'État dans les alcôves les mieux habitées*, souple, discret et rusé dans ce rôle si difficile, se faisant aimer partout et de tous » (je souligne). On sent, dans la dénonciation de cette « pêche dans les alcôves », on ne sait quel relent de vengeance russe ayant investi le Larousse. Le jugement puritain, en tout cas, ne fait aucun doute. La mission de Vivant à Naples ? « Sept années, de *far niente*. » Son séjour à Venise ? « L'Italie a tremblé au bruit du canon de la Bastille ; 89 s'est levé : Denon a peur et s'enfuit. » On ne peut pas être plus malveillant dans la contre-vérité flagrante : mais, là encore, sous le manque d'information objective, perce le procès délibéré. Enfin, le Directeur du Louvre est un simple fonctionnaire qui a voué « à l'idole du jour » (Napoléon) un « culte véritable ». Voilà, nous y sommes :

Bonaparte n'aura été que l'idole d'un jour. Le rédacteur du Larousse est bien peu marxiste : il est républicain, sans doute, sous l'idole du jour, Napoléon *le petit*.

Faut-il s'intéresser à l'œuvre de Vivant, dessins et gravures ? Pas le moins du monde. Ce sont « des morceaux d'amateur qui ne valent pas une attention sérieuse ». Il s'agit de « travaux médiocres ». Enfin coup de grâce : « C'était un de ces hommes dont le caractère et le talent sont également faciles, et dont les œuvres, trop faibles pour leur gloire, ne servent qu'à les faire négliger d'abord et oublier ensuite. »

Rien que le ton de cette notice m'aurait donné envie d'écrire ce *Cavalier*. Ce ton, on le connaît : il est là, toujours cauteleux, obstiné, mensonger et calomniateur, dans les articles débiles que, si l'on peut dire, on traîne avec soi. Théophile Gautier, dans sa préface à *Mademoiselle de Maupin* (très actuelle), voulait interdire un certain style de critique appliqué à quelques noms. Il rêvait d'une note ajoutée à certains livres, dans le genre de celles qu'on affiche en ville : « Défense de déposer des ordures ici. »

Évidemment, pas question de *Point de lendemain* dans le Larousse, mais on peut deviner que c'est bien ce « petit conte libertin » qui est l'objet du ressentiment principal. Nous arrivons en plein Beuvisme. Monseigneur Dupanloup, n'est-ce pas, ne lit pas *Les Liaisons dangereuses* (le livre est d'ailleurs interdit).

Voilà le bourgeois du XIXe siècle, increvable. C'est lui qui vient à la bibliothèque de Bouville, où Antoine Roquentin rencontre le pauvre Autodidacte. Que dis-je ? Tout Bouville, dans *La Nausée*, parle et pense comme le dictionnaire. Voilà les gens qui se sont esclaffés, autrefois, devant l'*Olympia*.

Un siècle après cette exécution symbolique, bonjour Vivant! Comme l'imaginaire doit rester libre, et que la liberté ne se divise pas, disons hardiment la chose suivante : le XXIᵉ siècle sera dix-huitiémiste *enfin*, ou ne sera pas. Libérez le XVIIIᵉ du XIXᵉ! Voilà un excellent programme antipolicier.

Dans un tel contexte, on comprend qu'Anatole France, qui « déterre » Denon, fasse figure de sage. Dans *Le Crime de Sylvestre Bonnard*, déjà, il évoque la « momie rapportée d'Égypte » vue « chez M. Denon où mon père m'avait mené » (c'est le personnage qui parle). Mais le texte de France qui va fixer pendant très longtemps la réputation de Vivant, se trouve dans *La Vie littéraire*. C'est, immédiatement, l'imagerie du vieillard : « Il y avait à Paris, sous le règne de Louis XVIII, un homme heureux. C'était un vieillard. » Le portrait se veut sympathique, éclairé, on est là devant une vie « errante et curieuse », un collectionneur vit, « souriant, au milieu de nobles richesses. » Voici comment France voit Vivant à Venise : « La Révolution éclate. Il ne s'émeut guère et dessine sous les orangers. » Des orangers à Venise? Première nouvelle. Mais c'est déjà beaucoup mieux que Larousse : « La Révolution éclate. Denon prend peur et s'enfuit. »

L'épopée napoléonienne? Restons calmes : « Il dessine au milieu des batailles sous les yeux de César, et charme les vétérans de la Grande Armée par son mépris élégant du danger. »

Allons, France est gentil : « Le baron sait bien que sa vie est une espèce de chef-d'œuvre. Il n'oublie ni ne regrette rien ; son burin, parfois un peu libre, rappelle dans des planches secrètes les plaisirs de sa jeunesse. »

Hélas : « Il lui manqua sans doute ce je ne sais quoi d'obstiné, d'extrême, cet amour de l'impossible, ce zèle du cœur, cet enthousiasme qui fait les héros et les génies. Il lui manqua l'au-delà. Il lui manqua d'avoir jamais dit " Quand même ! " Enfin, il manqua à cet homme heureux l'inquiétude et la souffrance. »

Nous y revoilà, et c'est ici un condensé d'idéologie. Être heureux est un malheur, une limite. Pour gagner l'au-delà, il faut souffrir. Comme chacun sait, Anatole-François Thibault, dit Anatole France (1844-1924), prix Nobel 1921, membre de l'Académie française, était un extrémiste, un amoureux de l'impossible, peut-être un héros caché, et même un génie. J'ai l'air de me moquer de cet homme estimable, qui, après tout, glissait peut-être, là, une forme d'autocritique mélancolique. Mais non, j'essaie d'expliquer une aberration. Celle qui fait écrire à ce progressiste, par exemple, à propos de *Point de lendemain* : « Je songe que ce conte, qui est un bijou, est peut-être un bijou indiscret qu'il faut laisser sous la clef fidèle des armoires de nos honnêtes bibliophiles. »

C'est l'époque où l'*Origine du monde*, de Courbet, se dévoile après dîner en faisant coulisser, chez l'heureux propriétaire, un autre tableau qui dissimule ce prétendu fabuleux mystère. Dire qu'il y a peu, un psychanalyste célèbre en était, si l'on peut dire, *encore là*. Anatole France reprend, dans sa conclusion, une réflexion de Lady Morgan à propos du « vieillard » : « Les habitudes de sa vie ne lui permirent de prendre les armes pour aucune cause. »

Quel *défaut*, n'est-ce pas ? Et ce n'est même pas vrai. Moralité : il faudrait écrire une histoire complète du puritanisme à travers les siècles.

Est-ce à dire que nous allons traiter Anatole France de « cadavre », comme l'auront fait les surréalistes ? Mais non, le problème n'est pas là. Le puritanisme est *aussi* dans une exacerbation qui se prétend son contraire. Les déclarations frénétiques de jacobinisme de Breton et d'Aragon en seront la preuve. Comme Sartre a eu honte d'avoir écrit *La Nausée* (« en comparaison d'un enfant qui meurt, *La Nausée* ne fait pas le poids », comme s'il n'y avait qu'un poids et qu'une mesure), Aragon a eu honte d'avoir écrit *Le Libertinage* ou *Le Con d'Irène*. Décidément, les Russes ont encore frappé. Breton, de son côté, condamne, comme un Inquisiteur, le libertinage. Aucun hurlement en faveur de Sade n'y changera rien, pas plus que « l'Amour fou », et autres litanies de remplacement en faveur de « la femme ».

Résultat de l'enquête : le moins d'Histoire possible, pas de libertinage écrit, voilà le catéchisme des notables sous tous les régimes. Il est clair, contrairement à ce que voudrait nous faire croire Anatole France, que Vivant n'a rien de « voltairien ». Voltaire oui, le voltairianisme, non. L'ironie, sans doute, le scepticisme, jamais.

Je ne suis même pas sûr qu'il faille adopter la version « sagesse heureuse » à propos de Vivant. Il y a chez lui quelque chose de plus transgressif, un défi plus compact qui fait davantage penser au Raymond Roussel des *Nouvelles Impressions d'Afrique* qu'à Anatole France, et même aux surréalistes. Quoi qu'on fasse, il se dérobe, il s'éclipse. C'est pourquoi sa rencontre possible avec Hölderlin, ou celle qu'il a certainement eue, avec Humboldt, me paraissent d'un autre intérêt. Quand on sait qu'il se passionnait de plus en plus pour la Chine, il est permis de l'imaginer comme un lecteur potentiel de la *Lettre à M. Abel Rémusat sur la nature des formes grammaticales en général, et le génie de la langue chinoise en particulier.* Oui, plutôt du côté de Champollion et de Humboldt, et de toute la suite. C'est l'esprit d'aventure qui dicte ces lignes, cet esprit qui, me semble-t-il, a toujours soufflé sur ce jeune homme déguisé, aussi, en « vieillard ».

L'éditeur Ladvocat, qui a vu Vivant juste avant sa mort, écrira : « J'ai dîné avec Denon quelques jours avant sa perte, et j'ai remarqué avec surprise, dans ce vieillard octogénaire, une force et une énergie que peu d'hommes de soixante ans possèdent encore. » Nous le croyons volontiers.

D'autres traces de Denon parmi nous ? Il y en a une, qui saute aux yeux. Voyons : un général patriote républicain sauvant la France en plein effondrement d'abjection ; un écrivain s'illustrant au combat, notamment en Espagne (beau livre, plus tard, sur Goya) ; le même écrivain devenant ministre de la Culture et faisant nettoyer Paris ; un Musée Imaginaire ; le souvenir obsessionnel des soldats de l'An II ; le Panthéon, des Grands Travaux ; un enterrement militaire solennel avec sculpture de chat *égyptien* sorti des collections du Louvre dominant la cérémonie. Ce n'est pas si loin, et c'était Malraux. Personne n'a trop aimé ça (surtout pas les Américains), peu d'admiration, donc, beaucoup de sarcasmes. Mais très peu de Français étaient à Londres en 1940, n'est-ce pas ? Et Mao à Malraux en 1964 : « Parlez-moi de Napoléon. » Problèmes stratégiques, Clausewitz, Sun-tseu.

En 1513, Nicolas Machiavel écrit à Francesco Vettori : « Le soir tombe, je retourne au logis. Je pénètre dans mon cabinet et, dès le seuil, je me dépouille de la défroque de tous les jours, couverte de fange et de boue, pour revêtir des habits de cour royale ou pontificale ; ainsi honorablement accoutré, j'entre dans les cours antiques des hommes de l'Antiquité. Là, accueilli avec affabilité par eux, je me repais de l'aliment qui par excellence est le mien, et pour lequel je suis né. Là, nulle honte à parler avec eux, à les interroger sur les mobiles de leurs actions, et eux, en vertu de leur humanité, ils me répondent. Et, durant quatre heures de temps, je ne sens pas le moindre ennui, j'oublie tous mes tourments, je cesse de redouter la pauvreté, la mort même ne m'effraie pas. »

Et, un peu plus tard, du même au même : « L'Amour ne tourmente que ceux qui prétendent lui rogner les ailes ou l'enchaîner quand il lui a plu de venir voler à eux. Comme c'est un enfant, et plein de caprices, il leur arrache les yeux, le foie et le cœur. Mais ceux qui accueillent sa venue avec allégresse, et qui le flattent et le laissent s'en aller quand il lui plaît, et quand il revient l'acceptent volontiers, ceux-là sont toujours certains de ses faveurs et de ses caresses, et de triompher sous son empire. »

Ainsi de Vivant Denon.

La lumière des quinquets tremble un peu. Dehors, tout est silencieux, le quai est désert. Cette curieuse solitude, Vivant l'aime depuis toujours. Il n'est préoccupé ni par l'inquiétude, ni par la souffrance, ni par les « causes » auxquelles sacrifier sa vie, ni par l'au-delà. Il reprend ses dessins, il les examine. D'une certaine façon la nuit les déplie. *L'Amour tourmenté par les grandes et les petites considérations*, par exemple. Ou encore *Le Baiser* (une sorte de Picasso), qu'il aime particulièrement. Il est assez content de son *Allégorie à différents âges*. Faudrait-il en dire plus par écrit ? A quoi bon ? Et pour qui ? Ce gros livre d'histoire, qu'il est censé composer, est-il vraiment nécessaire ? Tout de même, il faut laisser une note sur Watteau. C'est important, il est trop oublié, *L'Embarquement pour Cythère* est un enjeu capital.

« Tout respire l'amour, l'air en est empreint, c'est lui qui enfle les voiles des bâtiments, qui vont conduire les amants dans l'empire de ce despote séducteur. L'aspect du paysage, la volupté de la nature, le sujet qui ne semble comporter que la grâce et la légèreté, tout y est traité avec une plénitude d'idées qui lui donne la profondeur et la philosophie d'une des compositions de Poussin. »

Il y a enfin, ou surtout, la guirlande des *nouvelles femmes*, dont voici les traits sous le crayon de Vivant : Mlle Dumesnil, Inès d'Esménard (peintre), Sophie Giacomelli, Mme de Lespinasse, la comtesse Mollien, une jeune femme anonyme à la rose, une autre anonyme avec vase à fleurs, et puis d'autres, au chignon, au chapeau, à la mantille, au turban. Il s'est représenté, aussi, en train de dessiner devant deux jeunes femmes, message assez clair. Et voici encore un intérieur avec des jeunes femmes et des jeunes gens lisant et dessinant. Journées idéales. Et encore cette scène de studio : une jeune femme montre son dessin à des admirateurs. Ce qu'elle dessine ? Un homme nu, au sexe apparent. Mais oui, dessinez-nous ça *dans l'autre sens*, ça nous changera un peu du vieux monde.

Que tout le monde, femmes comprises, sache lire et dessiner librement : voilà la révolution.

Autour de lui, dans la nuit, la collection veille. Il vit ainsi, constamment, dans la couleur. Il va vérifier un détail dans un papyrus en caractères hiératiques, le jugement d'Osiris, peint en azur, rouge brun, jaune et vert. Cela lui donne envie de reprendre son vieux Plutarque dans la traduction d'Amyot. Le livre s'ouvre tout seul sur la *Vie d'Antoine* :

« Cléopâtre, quand elle sortait en public devant le monde, vêtait l'accoutrement sacré de la déesse Isis, et donnait audience à ses sujets comme une nouvelle Isis... Et il y avait, outre sa beauté, grand plaisir au son de sa voix seulement et à la prononciation, parce que sa langue était comme un instrument de musique à plusieurs jeux et plusieurs registres.... Et ce de quoi plus Antoine s'émerveilla fut la multitude des lumières et flambeaux suspendus en l'air, éclairant de tous côtés, si ingénieusement ordonnés et disposés à devises, les uns en rond, les autres en carrés, que c'était l'une des plus belles et singulières choses à voir que l'œil eût su choisir, dont il soit fait mention dans les livres. »

Il a bien dormi, quel beau jour de printemps. Paris s'éveille. Une fois de plus, lente tournée de la collection avant les visites. Les gens, et c'est cela qui est amusant, n'y voient pas grand-chose. Ils passent, ils s'arrêtent un peu, ils font « oh » ou « ah ». Pourquoi ne pas tout leur montrer, cependant ? Principe : les étrangers d'abord (et pour cause).

En premier lieu, la belle Irlandaise

Irlandaise plutôt qu'Anglaise, cela se comprend.

C'est en effet par Lady Morgan que nous connaissons le mieux la collection de Vivant de son vivant.

« Aucun particulier ne possède à Paris une collection d'objets relatifs aux arts et aux antiquités, aussi curieuse, aussi variée et aussi singulière que celle que renferme l'hôtel du baron Denon. Ces trésors occupent une suite de six appartements (en plus de son logement), et sont rangés dans de superbes armoires de Boulle, qui se trouvaient autrefois dans les palais de Louis XIV. Quelques-uns sont placés sur des piédestaux tirés des ruines de la Grèce, ou sur des marbres, débris de colonnes égyptiennes. Des tableaux, des médailles, des bronzes, des dessins, des antiquités et des curiosités de la Chine, de l'Inde et de l'Égypte sont rangés dans un ordre philosophique et chronologique dans l'intention de jeter plus de lumière sur les temps les plus reculés, et de démontrer par quelques morceaux remarquables les progrès de l'esprit humain (...) Il me montra une *Chute d'eau*, par Ruysdaël, un *Portrait de Molière*, par Sébastien Bourdon, une *Tête* du Parmesan (...), le *Portrait* d'un évêque par Giotto (...) Parmi les tableaux modernes, la *Tête d'une dame grecque* (Isabelle la comtesse Albrizzi) par Mme Lebrun, un *Portrait de Rosalba* par elle-même (...) »

Lady Morgan insiste sur la collection de médailles : « M. Denon a été le restaurateur de ce bel art en France. » On connaît une médaille de Denon par Galle, le représentant d'un côté, et de l'autre, en toute modestie, les colosses de Memnon avec l'inscription : « Ils parleront toujours pour lui » (je suis donc un colosse de Memnon).

« Parmi les bronzes grecs, celui qu'il estime le plus est une charmante figure de Jupiter Stator ; mais il regarde les ouvrages qu'il possède des Chinois, dans cet art, comme égaux sinon supérieurs à tous les autres (...) Dans cette collection si précieuse, rien n'égale le portefeuille de dessins originaux (...) Cinquante dessins originaux du Parmesan, quatre-vingts du Guerchin, dix de Raphaël, dix de Jules Romains (...) Des vases de porcelaine de toute forme, de toute taille, de toute couleur et de tous les siècles, depuis la porcelaine noire dont l'antiquité n'a pas de date, jusqu'au produit transparent des manufactures de nos jours ; des *chats bleus*, qui se vendaient autrefois mille écus la pièce ; des vases verts dans lesquels Confucius a peut-être trempé ses longs ongles, des mandarins petits-maîtres, des dieux, des bramines, des magots, des pagodes (...). »

Mais il y a aussi 1574 estampes de Callot, des dessins de Dürer, de Rembrandt, de Poussin, vingt-neuf de Fragonard, sept de Watteau. Les trois volumes de la vente du Cabinet Denon, après la mort de Vivant, en 1826, rassemblent 3178 numéros. J'ai envie, quant à moi, d'insister sur deux Chardin (dont la *Serinette*), mais surtout sur le *Gilles* de Watteau.

L'anecdote est racontée par Vivant lui-même, et rapportée par Clément de Ris :

« En 1804 était exposée sur la porte d'un obscur marchand de bric-à-brac de la place du Carrousel, à qui il servait d'enseigne, un tableau représentant un personnage bouffon vêtu de blanc avec de larges manches. Pour attirer l'attention des chalands, le pauvre diable avait écrit à la craie, sur la figure même, ce refrain d'un ancien vaudeville :

> *Que Pierrot serait content*
> *S'il avait l'heur de vous plaire.*

Malgré les reproches de David, Denon achète le tableau pour 300 F. Il devient par la suite la propriété d'un Dr Lacaze qui en refuse plusieurs fois 300 000 F offerts par des collectionneurs anglais avant d'en faire don au Louvre.

Quel serait son prix aujourd'hui s'il était mis en vente ?

L'argent va occuper tout le terrain, c'est dire que la mort approche. Le moment de se taire aussi.

Le *Gilles* de Watteau est le triomphe de Vivant. Qu'il l'ait vu tous les jours, en se levant et en se couchant est un signe incroyable du destin qui l'a sans cesse requis. Le *Gilles* est un soleil blanc d'innocence : l'au-delà présent de la présence, ici même. C'est un des tableaux les plus mystérieux du monde. Un des plus beaux.

Je pense à deux remarques de Heidegger :
« Il diminue vite, le nombre de ceux qui connaissent le simple comme une propriété qu'ils ont su acquérir. Mais ce sont ces peu nombreux qui, partout, demeureront. »

« La gaieté sereine, celle qui sait, est une porte donnant sur le perpétuel. Ses battants tournent sur les gonds qu'un forgeron expert a un jour forgés à partir des énigmes de l'existence. »

Le 24 avril 1825, Vivant assiste à une séance solennelle des quatre Académies. Le 26, un jour froid de bourrasques, il sort pour une vente de tableaux. En rentrant, lui qui n'est jamais malade, il ne se sent pas bien, il a la fièvre. Congestion pulmonaire. Le lendemain, il est mort. Il avait soixante-dix-huit ans.

Au Père-Lachaise, Gros prononce un discours ému. Mais l'acte le plus impressionnant est celui de la haine d'Ingres. Le corps de Vivant est à peine dans la fosse, qu'il s'approche et dit d'une voix assez haute pour être entendue : « Bien, bien, c'est bien. Il y est, cette fois, il y restera. »

On ne peut pas être plus sincère. C'est, je parle sérieusement, un des plus beaux éloges funèbres jamais reçu par quelqu'un.

Ingres, d'ailleurs, demande immédiatement à être le successeur de Denon à l'Institut (ce qui veut dire qu'il y croit, lui) : « Je suis dans ce moment solliciteur. Je demande la place que vient de laisser vacante M. Denon, mon anti-moi jusqu'à son dernier jour. Il est mort et ce serait plaisant et assez piquant que je prenne sa place. »

Ingres, en effet, sera élu au siège de Denon, deux mois plus tard.

Être jalousé et haï jusque dans la tombe, lorsqu'on n'a commis aucun crime (bien au contraire), est quand même un excellent signe.

Il n'aura même pas manqué cette élection à Vivant.

Peu de gens savent, aujourd'hui, en entrant par la pyramide du Louvre et en montant l'escalier roulant qui les fait pénétrer par le couloir *Denon*, qu'un matin, très tôt, quelques personnes discrètes sont venues enfouir dans une boîte spécialement préparée à cet effet un exemplaire unique, imprimé pour cette occasion et sans date, de *Point de lendemain*. Il a été déposé dans le mur, désormais dégagé, de Philippe Auguste. Ce jour-là, il faisait très beau. L'eau des fontaines et des bassins qui entourent les pyramides était parfois légèrement portée, par un léger vent, jusqu'aux visages. Le cavalier Bernin, qui a sculpté une statue équestre de Louis XIV, dont une réplique se trouve là, aurait été surpris d'apprendre qu'on pensait à lui. Regardez ce cheval : il emporte l'espace. Les pyramides, elles, filtrent le temps.

« J'aimais éperdument la comtesse de... J'étais loin de m'attendre à tout ce que cette rencontre allait avoir de romanesque et d'extraordinaire... Je cherchai bien la morale de toute cette aventure, et... je n'en trouvai point. »

Bibliographie

Principaux ouvrages consultés

Œuvres de Vivant Denon :

Point de lendemain, in Romanciers du XVIIIᵉ siècle, La Pléiade, tome II, Gallimard, 1965.

Point de lendemain, in Romans libertins du XVIIIᵉ siècle, Bouquins, Laffont, 1993.

Point de lendemain, et extraits du *Voyage en Sicile* et de *Voyage dans la Basse et la Haute Égypte*, l'École des lettres, Le Seuil, 1993.

Point de lendemain, versions de 1812 et 1777, Folio Classique, Gallimard, 1995.

Voyage en Sicile, Le Promeneur, Gallimard, 1993.

Voyage dans la Basse et la Haute Égypte pendant les campagnes du général Bonaparte, reprise de l'exemplaire de la Bibliothèque nationale de Paris, vol. I : Texte, vol II : Planches, Institut Français d'Archéologie Orientale du Caire, 1989 et 1990.

Voyage dans la Basse et la Haute Égypte, Pygmalion, 1990.

Lettere inedite a Isabella Teotochi Albrizzi, Padova, 1979.

Archives du Ministère des Affaires étrangères, Correspondance, Naples, Vol 106 à 109.

Monuments des arts du dessin chez les peuples tant anciens que modernes, recueillis par le baron Vivant Denon, pour servir à l'histoire des arts, lithographiés par ses soins et sous ses yeux, décrits et expliqués par Duval, dit Amaury-Duval, Paris, Brunet-Denon, 1829, 4 vol.

The Illustrated Bartsch, 121, 2 vol, *Dominique Vivant Denon, French Masters of the Nineteenth Century*, by Petra ten-Doesschate Chu, Abaris Books, New York, 1985 et 1988.

Sur Vivant Denon et son temps :

Chatelain, Jean, *Dominique Vivant Denon et le Louvre de Napoléon*, Librairie Académique Perrin, 1973.

Chevallier, Gabriel, *Articles, in Mémoires de la Société d'Histoire et d'Archéologie de Chalon-sur-Saône* (1956-1965).

Collaveri, François, *Napoléon Empereur Franc-Maçon*, Bibliothèque Napoléonienne, Tallandier, 1986.

Comisso, Giovanni, *Les agents secrets à Venise*, Le Promeneur, Quai Voltaire, 1990.

Desaix, Ulrich-Richard, *La relique de Molière du cabinet du baron Denon*, Paris, Vignères, 1880.

Enthoven, Jean-Paul, *Pour Vivant Denon*, La Règle du jeu, n° 3, 1991.

France, Anatole, *Le Baron Denon*, La Vie Littéraire, Calmann-Lévy, 1890.

Chali, Ibrahim Amin, *Vivant Denon ou la conquête du bonheur*, Institut Français d'Archéologie Orientale du Caire, 1986.

Kundera, Milan, *La Lenteur*, Gallimard, 1995.

Lelièvre, Pierre, *Vivant Denon, Homme des Lumières*, « *Ministre des Arts* » *de Napoléon*, Picard, 1993.

Nowinski, Judith, *Baron Dominique Vivant Denon (1747-1825), Hedonist and Scholar in a Period of Transition*, Rutherford-Madison-Teaneck, Fairleigh Dickinson University Press, 1970.

Saint-Bris, Gonzague, *Desaix, le sultan de Bonaparte*, librairie Académique Perrin, 1995.

Toso Rodinis, Giuliana, *Dominique Vivant Denon, I fiordalisi, il berretto frigio, la sfinge*, Firenze, Leo S. Olschki, 1977.

Tourneux, Maurice, *Diderot et Catherine de Russie*, 1899, Reprints Slatkine, Genève, 1970.

Littérature générale :

Balzac, *Physiologie du mariage*, in *La Comédie humaine*, La Pléiade, Tome X, Gallimard, 1950.

Bernis, Cardinal de, *Mémoires*, Mercure de France, 1980.

Casanova, *Mémoires*, Bouquins, Laffont, 1993.

Chateaubriand, *Mémoires d'outre-tombe*, La Pléiade, 2 vol., Gallimard, 1951.

Clausewitz, *De la guerre*, Éditions de Minuit, 1955.

Debord, *Panégyrique*, Éditions Gérard Lebovici, 1989, et Gallimard, 1993.

BIBLIOGRAPHIE

Diderot, *Œuvres philosophiques,* Classiques Garnier, 1956.
- *Lettres à Sophie Volland,* Folio, Gallimard, 1984.
Flaubert, *Voyage en Égypte,* Grasset, 1991.
- *Correspondance,* La Pléiade, Gallimard, 3 vol., 1973, 1980, 1991.
Gautier, *Le roman de la momie,* Folio, Gallimard, 1986.
Hölderlin, *Œuvres,* La Pléiade, Gallimard, 1967.
Laclos, *Œuvres complètes,* La Pléiade, Gallimard, 1979.
Lautréamont, *Œuvres complètes,* La Pléiade, Gallimard, 1970.
Machiavel, *Œuvres complètes,* La Pléiade, Gallimard, 1952.
Marx, *Le 18 Brumaire de Louis Bonaparte,* in *Œuvres,* La Pléiade, tome IV, 1994.
Nerval, *Voyage en Orient, Les Illuminés,* Œuvres complètes, tome II, La Pléiade, Gallimard, 1956.
Rimbaud, *Œuvres complètes,* La Pléiade, Gallimard, 1972.
Roussel, *Nouvelles Impressions d'Afrique,* Pauvert, 1963.
Sade, *Juliette ou les prospérités du vice,* Cercle du Livre précieux, 1966.
Voyage d'Italie, Tchou, 1967, Fayard, 1995.
Sartre, *La Nausée,* Folio, Gallimard, 1972.
Sollers, *Le Cœur Absolu,* 1987, Folio, Gallimard, 1989.
- *Les Folies Françaises,* 1988, Folio, Gallimard, 1990.
- *Sade contre l'Être Suprême,* Quai Voltaire, 1989 et 1992.
- *La Fête à Venise,* 1991, Folio, Gallimard, 1993.
- *Pour célébrer la vraie Révolution Française,* in *Improvisations,* Folio, Gallimard, 1991.
- *La Guerre du goût,* Gallimard, 1994.
Stendhal, *La Chartreuse de Parme,* in *Romans et Nouvelles,* La Pléiade, tome II, Gallimard, 1948.
- *Œuvres intimes,* La Pléiade, 2 vol, Gallimard, 1980, 1982.
- *Voyage en Italie,* La Pléiade, Gallimard, 1973.
Voltaire, *Correspondance (janvier 1775-juin 1777),* La Pléiade, tome XII, 1988.

Table

DU MÊME AUTEUR

Cet ouvrage a été réalisé par la
SOCIÉTÉ NOUVELLE FIRMIN-DIDOT
Mesnil-sur-l'Estrée
pour le compte des Éditions Plon
en septembre 1995

Imprimé en France
Dépôt légal : octobre 1995
N° d'édition : 12566 – N° d'impression : 31906